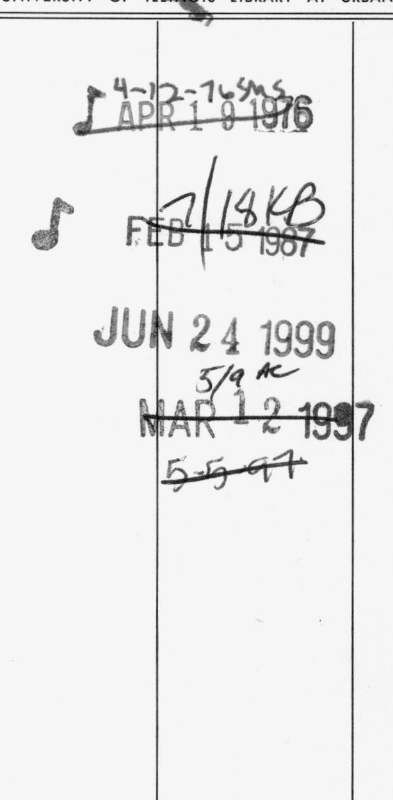

LA MUSICA ESPAÑOLA DESPUES DE MANUEL DE FALLA

MANUEL VALLS GORINA

LA MUSICA ESPAÑOLA DESPUES DE MANUEL DE FALLA

REVISTA DE OCCIDENTE
Bárbara de Braganza, 12
MADRID

Depósito Legal: M. 10.125-1962. N.º Rgtro. 375-62

Impreso por

T. Gráficos «Ediciones Castilla, S. A.»-Maestro Alonso, 21.-Madrid

PRINTED IN SPAIN

PALABRAS DEL EDITOR

Faltaba en la bibliografía española una historia de nuestra música en los últimos años, semejante a las que se han escrito sobre las manifestaciones literarias. Existe alguna, pero no es una historia "exhaustiva" —como ahora se dice— que comprendiera hasta estos mismos días. El libro de Manuel Valls Gorina "La música española después de Falla" subsana esta falta. Como dice el autor en su prólogo, "ha llegado la hora de dar noticia de unas vivencias musicales distintas de las de Albéniz, Granados y Falla, de puntualizar en qué zonas espirituales se desarrolla la música española que nos es contemporánea, señalar cuáles han sido sus logros y conquistas, qué servidumbres materiales restan altura y vigor a su fuerza ascensional y, en suma, de informar qué se ha hecho con el patrimonio que nos legaron aquellos autores".

El intento de estudiar nuestra música de hoy es difícil porque "el examen del presente actúa sobre un cuerpo vivo en constante evolución" y porque falta la distancia en el tiempo que no existe cuando se opera sobre tendencias ya consolidadas que permiten ver claramente el espíritu que las informó y orientó. Así, pasando las hojas de este libro, se encuentra un enorme número de compositores que sorprenderá a los poco enterados, un verdadero hormiguero que nos induciría a creer en una intensísima vida musical española. Pero el autor ha procurado introducir el mayor orden posible en esa pululación, como se advierte por los títulos de las secciones, agrupando a los autores por generaciones a partir de 1945 (muerte de Falla), año de la crisis de la música española : "La generación de los maestros", "La generación de la República", "La promoción de la guerra (de la nuestra), "La última hora de la música española", buscando siempre el módulo común, sin dejar por eso de acusar las variantes e incluso las desviaciones.

Pero el autor no separa la música de las demás manifestaciones artísticas, sino que la considera inmersa en ellas, influida e influyéndolas, como vemos en algún capítulo en que señala las nuevas tendencias de la novela, de la poesía, del teatro, de la arquitectura y hasta de la ciencia, formando en su totalidad un conjunto coordinado en que la música suena como uno de sus elementos integrantes. En ese conjunto repercuten con hondas consecuencias los acontecimientos exteriores : la segunda guerra mundial y, sobre todo, en España, la lucha civil que truncó las esperanzas de continuidad de "unas generaciones con valores consolidados y en marcha y con una nueva promoción asomando en el horizonte", y después de la guerra el aislamiento experimentado por la península (1939-1945) que originó una falta de ventilación y la momentánea suspensión de su impulso creador.

El año de la muerte de Falla "no es —dice— una fecha elegida caprichosamente, al azar, pues significa la de un "impase" crítico en nuestra historia sonora contemporánea, al señalar un punto crucial en el devenir de la conciencia artística nacional". Con esa muerte se cierra una de las manifestaciones características de la primera mitad del siglo : el nacionalismo musical. La guerra civil desconecta a los componentes del "grupo de Madrid" que pierden su conciencia de grupo y la música española entra en un período de marasmo, agravado por dicho aislamiento y falta de ventilación del exterior. La vieja generación, salvo alguna excepción, carece de empuje para renovar los de la "generación de la República" apenas evolucionan y la promoción siguiente carece de nexo, de orientación definida. En los compositores de última hora se advierte una nota común : "huir del tópico, rechazar la nota de color, de inspiración folklórica, al menos en su expresión superficial y ligera". Y la joven música, que acepta las más recientes y extremas aventuras de la expresión sonora contemporánea, "se despersonaliza para venir a ser expresión mimética de una experiencia matriz en cuyo nacimiento y avatares creacionistas no ha participado". De este modo "se ha cerrado —cree el autor— para la música española la posibilidad de mantener un pabellón con perfil no prestado en el concierto sonoro de la Europa de nuestros días".

Esto no impide que el autor juzgue minuciosamente obras y compositores y aprecie sus valores positivos, pero siempre dando primacía, entre ellos, al impulso creacional que puede abrir el porvenir de nuestra música. Con un examen crítico de "La Atlántida" y los capítulos dedicados a la ópera, los conciertos, los intérpretes, las entidades corales, la musicología y los críticos de música, puede decirse que en este libro está íntegra la historia de la música española desde 1945 hasta hoy mismo. Es, pues, este libro un documento inestimable que esta Editorial se complace en ofrecer a los lectores de lengua española.

El Editor.

INDICE

Págs.

"Ce n'est pas l'historien qui assure la gloire. C'est la prise du poète sur les rêves des hommes."

ANDRÉ MALRAUX.

"Je serais enclin, pour ma part, a denier la qualité proprement philosophique à toute oeuvre où ne se laisse pas discerner ce que j'appellerai la morsure du réel."

GABRIEL MARCEL.

"No censuro ni apruebo, observo."

STENDHAL.

"...*modernidad* no es la adherencia a tal o cual programa ni el empleo de tales o cuales procedimientos, sino la interpretación original del sentimiento infuso en la época: oscuro para el análisis cuando se vive dentro de él; claro para la intuición del artista, si éste lo es auténticamente; decisión provisional sobre la cual sólo el futuro puede resolver en definitiva."

ADOLFO SALAZAR.

PROLOGO

Encararse con la realidad y afrontar en lo posible las múltiples facetas y matices que el mundo espiritual inmediato a nosotros presenta, es empresa que comporta abundantes riesgos. Riesgo de imprecisión valorativa determinado por la escasa distancia temporal que media entre el hecho contemplado y el momento de emitir el juicio que nos merece; peligro de omisión o de escasa atención por aquel factor, que el futuro, declarará fundamental para la definición de nuestra época; riesgo, en fin de parcialidad hacia aquellos contingentes estéticos afines a la personal creencia del autor.

A diferencia de lo que ocurre con las tareas de investigación histórica en las que, además de una más dilatada perspectiva, el tratadista opera sobre hechos consumados, cuya significación y jerarquía está conformada (aceptados unos márgenes interpretativos), quien acomete el examen del presente, actúa sobre un cuerpo vivo, en constante evolución, sujeto a las continuas mutaciones que en su conciencia ejercen las más contrapuestas brisas espirituales y cuya inestabilidad ideológica, constituye el principal obstáculo para diagnosticar acerca la proyección futura que su estudio pretende descubrir.

Este libro se encara con el presente, lo que significa aceptar la responsabilidad que comporta tratar con los albures indicados. Es un libro comprometido con la actualidad y con unas realidades vivas, con-

cernientes a la música española que nos es coetánea y que por su inmediata y tangible presencia declina toda apreciación desde el punto de vista histórico.

Uno de los objetivos que esencialmente se pretende alcanzar en el examen que sigue, es desentrañar y situar los valores y aportaciones que los compositores españoles de nuestros días han colacionado al patrimonio sonoro de Europa, y fijar en un imaginario escalafón —sujeto a revisiones— el peculiar significado de las personales innovaciones de cada autor. Los juicios que se emiten (susceptibles de ulterior apelación), están fundamentalmente asentados en las vinculaciones espirituales que las obras consideradas tienen con el instante en que aparecen, ya que sólo la obra portadora de insólitas proyecciones espirituales y que no busca su acomodo y amparo en las seguridades que ofrecen los esquemas académicos del pasado, es merecedora en principio de atención. Pero, de la misma forma que en las obras que presionan para abrir unos boquetes para dar entrada a nuevos aires expresivos, se impondrá la cautela en la admisión de sus sistemas y de las estéticas que sus programas propugnan, en las talladas de acuerdo con los patrones tradicionales, se tratará de descubrir la personal vibración que a ellos incorporan sus autores.

Interesa también destacar que el acercamiento a los piélagos invocados, conscientes de los riesgos que su aproximación comporta, constituye la vía más directa para dar una visión auténtica *del momento contemplado. Decimos auténtica, con plena conciencia del contenido que debemos asignar a la palabra porque sólo la participación, y la íntima comunión con el instante descrito, nos dará la "instantánea" de su pálpito interno. Sólo estando inmersos en la "circuns-*

tancia" espiritual que intentamos describir, sintiendo y viviendo sus problemas y preocupaciones "desde dentro", podrá darse una idea auténtica y unívocamente veraz del universo circundante. Admitimos que, la imagen ofrecida, con tales pretensiones de autenticidad, presentará las deformaciones propias del particular lente estético de quien escribe, pero ello no resta verdad *a la visión, la cual se presentará como una fotografía tomada al natural, sin los retoques, recomposiciones y difuminaciones propias de la foto de estudio, la cual, si gana en perfección técnica, pierde su natural humanidad.*

Forma igualmente parte de nuestro propósito, ofrecer un diseño somero y breve del paisaje espiritual que constituye el escenario en que se desarrolla nuestra acción, pues las recíprocas contraprestaciones entre las diversas y a veces dispares fuerzas de un organismo cultural vivo, determinan su peculiar estructura ideológica, en cuya formación, no son ajenas las más leves vibraciones procedentes de cualquier ángulo expresivo.

También —y ello, vinculado a los propósitos antecedentes adquiere peculiar esencialidad— por considerar que el período contemplado cuenta ya con suficiente profundidad y sentido para intentar su descripción cualitativa, creemos que ha llegado la hora de dar noticia de unas vivencias musicales españolas distintas de las de Albéniz, Granados o Falla, de puntualizar en qué zonas espirituales se desarrolla la música española que nos es contemporánea, señalar cuáles han sido sus logros y conquistas, qué servidumbres materiales restan altura y vigor a su fuerza ascensional y, en suma, de informar qué se ha hecho con el patrimonio que nos legaron aquellos autores.

En las apreciaciones que siguen, emergen —no es posible evitarlo— las particulares inclinaciones y gustos del autor. No perdemos de vista que de tal actitud nacerán los quiebros de la obra, que a su vez originarán las objeciones que por sus lagunas e imprecisiones puede hacerse acreedora. Pero la tacha de falta de objetividad y la de su corolario inmediato, de ausencia de precisión científica, tendrán una validez relativa, ya que estimamos que sobre materias tan vivas (como es un cuerpo cultural en efervescencia y en pleno curso de su proceso definidor), el rigor científico sólo puede aplicarse al intento de determinar la sistemática a seguir, pero no al proceso calibrador de las nuevas ideas, porque no se han creado los módulos y medidas valorativas aplicables a los complejos culturales recién forjados. No existe norma objetiva, que de haberla, carecería de real eficacia, atendida la rapidez con que se suceden las mutaciones de signo, en el universo espiritual contemporáneo.

Inmersos en el mundo cuya descripción se pretende, y conscientes de las limitaciones y afasias de nuestro trabajo, no hemos resistido el imperativo de ordenar en estas líneas, los cabos sueltos de la complicada maraña del complejo musical español de hoy, del que sólo se tratará —conviene advertirlo— la función creadora, por estimar que es la que fundamentalmente guía y conduce las restantes (interpretación, conciertos, musicología, publicaciones y crítica) que toman de ella su razón de ser.

Finalmente aceptamos que "Forse altri canterà con miglior, plettro", como dice Cervantes (con frase de Ariosto) al terminar la primera parte de su inmortal novela.

PRIMERA PARTE

ESPAÑA: UNA ISLA EUROPEA

CAPITULO I

1946: La música española en crisis

El día 14 de noviembre de 1946, moría en Alta Gracia (Córdoba, Argentina), la personalidad más sobresaliente de la música española contemporánea: Manuel de Falla. Con el traspaso de este gran compositor, la aventura musical europea de la primera mitad de la vigente centuria, cerraba prácticamente una de sus más características manifestaciones, la del nacionalismo musical. Un año antes había fallecido en Nueva York, Bela Bartok, el autor que con Manuel de Falla se mantuvo fiel hasta el momento de su muerte a los postulados que la estética nacionalista entrañaba. Strawinsky, que también en sus días militó en posición espiritual análoga a la de Bartok y Falla, abandonó el nacionalismo hacia 1920, por concepciones abstractas (neo-clasicismo y demás "retornos") de forma, que los contactos que con esta tendencia ha tenido con posterioridad, no han pasado de ser esporádicos.

En la fecha en que fallece Manuel de Falla, si bien la Gran Guerra Mundial hace ya año y medio que está terminada, en la Península no están aún completamente restañadas las heridas causadas por nuestra guerra civil (1936-1939). España, durante un decenio, vivió cultural y espiritualmente aislada del mundo occidental. Mientras tanto, el llamado mundo occidental, había fraguado una nueva sensibilidad y un nuevo estilo vital en la formación del cual permanecimos ajenos. Veremos más adelante con algún detalle, que la visión ideológica y cultural de Europa formada en los cuatro primeros decenios del siglo, cambia súbitamente de faz. Valores tenidos por intangibles, están en trance de desaparecer y nuevas ideas afloran e irrumpen en la mente de nuestra cansada Europa.

En el instante en que arrancan las presentes consideraciones mantienen con ligeras variantes sus peculiares actitudes estéticas, Ricardo Strauss, que muere en 1949 y Schoemberg que deja de existir en 1951, la obra del cual ha tenido después hondas repercusiones en las más vivas manifestaciones de hoy.

Desde 1939, año que señala el final de la contienda civil, a la fecha señalada, sólo Joaquín Rodrigo había dejado oír su voz en el casi desierto panorama sonoro español, con obras de muy diverso significado y valor. Los restantes compositores que integran el denominado "grupo de Madrid" de la "Generación de la República", en el momento en que iniciamos las presentes consideraciones, están totalmente desconectados y la consecuencia más inmediata de la distancia material que entre ellos media, es la pérdida de la conciencia de grupo, que en sus días acaparó el máximo interés del mapa musical español. Salvador Bacarisse se refugió en París, Rodolfo Halffter sentó sus reales en Méjico para adquirir más tarde la nacionalidad de aquel país ; su hermano Ernesto se traslada en 1939 a Portugal y Adolfo Salazar, el sagaz definidor de los principios de aquella generación y de las diversas peripecias y oscilaciones experimentadas por la música contemporánea en España o fuera de ella, residió también desde 1939 en Méjico donde falleció en 1958. Enrique Casal-Chapí que fue también uno de los analizadores de la promoción, quedó desvinculado del grupo al igual que Fernando Remacha, Gustavo Pittaluga, Federico Elizalde, Gustavo Durán y Antonio José, y por tanto de las actividades de cada uno de sus miembros.

El pulso vital que en la data fijada (1946) ofrecen Cataluña, Levante y Vascongadas, acusa igualmente un agudo descenso de la actividad musical en la doble vertiente de la creación y de la audición pública. El alicantino Oscar Esplá, radicado en 1939 en Bélgica y reincorporado a la vida española más tarde, no ofrece ni estrena partitura de importancia sustancial, pues si bien es en 1945 que está definitivamente datada la "Sonata del Sur" su primera versión es de diez años antes. Similar retraimiento se observa en la producción de Manuel Palau y del vasco Jesús Guridi, quienes no presentan de nuevo obras merecedoras de atención si no es a partir de 1945. Conviene señalar, sin embargo, que las "Diez melodías vascas" de este último compositor llevan fecha de 1941.

En la región catalana la dispersión ocasionada por la contienda española afectó principalmente a Roberto Gerhard que actualmente vive en Londres y a Federico Mompou que no se reintegró a la vida musical de Cataluña hasta 1942.

Eduardo Toldrá abandonó prácticamente la composición en 1929 ("El giravolt de maig", ópera) ya que más luego y antes de 1939 dio a luz una sola obra, inspirada en textos de Salvat-Papasseit ("La Rosa als llavis"), y esporádicamente, alguna ilustración musical destinada al teatro de Adrián Gual, en tanto que Manuel Blancafort que en el tercer decenio del siglo había abandonado la senda iniciada por "Parc d'atraccions" y "American souvenir" en las que, al aplicar los postulados estéticos de "Le Coq et l'Arlequin" de Cocteau, introdujo el humor y la ironía como nuevas posibilidades expresivas en la música hispana, ofrece al llegar 1946 una obra de más reposada significación, orientada hacia un patrón tradicional.

Por su lado, como veremos, Joaquín Turina, que sobrevivió pocos años al maestro gaditano, permaneció fiel a los criterios estéticos y técnicos heredados de la "Schola cantorum" donde se formó y que asimismo informaron la postrera etapa de su producción musical.

Por regla general, en los años que median entre 1939 y 1946, el signo que domina la vida española en su zona musical está determinado por dos notas esenciales : de un lado, un retraimiento casi total de la actividad pública que se traduce en unas depauperadas y esporádicas series de conciertos totalmente inanes, y de otra parte, la desorientación espiritual del público y de los compositores manifestada en la pérdida de toda norma constructiva que respondiera a principios creadores, vivos y directamente vinculados con las esencias vitales del país. No se intenta ahora determinar las causas que condujeron a tal marasmo espiritual (entre las que podríamos señalar como más influyentes y decisivas, el desgaste ocasionado por la guerra civil agravado por el aislamiento político que la lucha universal y la post-guerra ocasionaron), sino simplemente situar los puntos cardinales de un determinado momento en la evolución de la música peninsular, para deducir de tal situación sus valores en función de otros momentos antecedentes o posteriores : el instante contemplado es aquel, en que la prometedora floración musical española reseñada, detiene su normal acontecer y, desorientada por muy complejas razones sufre una crisis estética que paraliza temporalmente su normal desarrollo.

La fecha de 1946, año de la muerte de Manuel de Falla, no es una fecha elegida caprichosamente, al azar, pues significa la de un "impasse" crítico, en nuestra historia sonora contemporánea, al señalar un punto crucial en el devenir de la conciencia artística nacional.

A partir de la expresada anualidad, los compositores de la vieja generación que sobreviven a Manuel de Falla (Joaquín Turina falleció en 1949 y Conrado del Campo en 1953) carecen de empuje suficiente para remozar y renovar un lenguaje que ya en sus momentos de madurez parecía definitivamente consolidado. De los pertenecientes a la promoción posterior, sólo Oscar Esplá y Jesús Guridi han mantenido dentro de sus personales posiciones unos criterios de dignidad constructiva.

De la "Generación de la República" (deserciones, y exilios aparte) es difícil señalar la nota definidora de la actitud común, si es que existe, al llegar al punto histórico en que comienzan las presentes consideraciones. La generalidad de los compositores que dan fe de vida y forman en sus filas (Rodrigo, Halffter, Remacha o Palau) han evolucionado poco en relación con las posturas estéticas con que comparecieron en nuestro horizonte musical.

En cuanto a la promoción siguiente, la que hizo

sus primeras armas artísticas recién liquidada la lucha civil, la falta entre sus miembros del "parecido generacional" de que habla Laín Entralgo, dificulta el señalamiento de unas directrices unitarias. No hay homogeneidad espiritual entre sus componentes más calificados (X. Montsalvatge, Rafael Ferrer, Asins Arbó y Joaquín Homs), lo que imposibilita la determinación de los rasgos definidores de tal promoción formada por un compendio de individualidades, sin otro nexo espiritual que el de haber comparecido simultáneamente a la palestra musical.

Existen, finalmente, aquellos compositores cuya juventud motivó que su incorporación a la vida musical española se realizara a partir del óbito del autor del "Retablo". Una avanzada rompió el fuego en Barcelona : el Círculo "Manuel de Falla", surgido al amparo del Instituto Francés. Siguieron luego diversos grupos en Madrid (Cristóbal Halffter), Valencia (Vicente Garcés), Bilbao (Luis de Pablo) y otros integrados por las Juventudes Musicales.

En la obra de estos compositores de última hora (al menos, en los conscientes) hallamos una característica común de orden estético definidora de su posición frente al problema creador : "huir del tópico" y rechazar la nota de color, de inspiración folklorizada al menos en su expresión superficial y ligera. Tácitamente han aceptado que el legado de Falla en su "Concierto" (en aquella hora se desconocía el mensaje de "La Atlántida" y "Los Homenajes" no merecen más consideración que la de una obra de "paso"), había dado la totalidad de sus frutos y representaba el punto final de la gloriosa y fecunda etapa nacionalista. Se produce en consecuencia una reacción contra el nacionalismo por considerar caduca y agotada su misión, pero se acepta la actitud y la obra de Manuel de Falla como representativa de un ejemplar y paulatino proceso depurador.

Ahora bien, para los compositores recientemente aparecidos, Manuel de Falla y su estética, pertenecen a un pasado, que aunque próximo, es ya historia, y por tanto prefieren incorporarse a los movimientos espirituales aparecidos a raíz del armisticio. Las creaciones musicales surgidas a partir de aquel instante, pierden paulatinamente el sentido de su localización geográfica y corolario de ello de su personalidad nacional. La joven música española, al aceptar las más recientes y extremas aventuras de la experiencia sonora continental y al adoptar sus sistemas y tecnicismos, a la vez que se incorpora a un movimiento de tipo general, se despersonaliza para venir a ser expresión mimética de una experiencia matriz en cuyo nacimiento y avatares creacionales —repetimos— no ha participado.

Un importante sector de la música peninsular, el más combativo, ha perdido su fe en la tradición y ha de buscar allende nuestras fronteras su incentivo creador, con lo cual se origina nuevamente en nuestra manifestación musical un problema de formación y consolidación de una escuela montada sobre valores autóctonos. Si un día Pedrell, Albéniz, Granados, Manuel de Falla, Esplá, y otros, deslindaron con sus personales afirmaciones la aportación española a la música europea, en los años que van de 1946 a nuestros días sólo podemos contrastar y medir la influencia y el peso que las estéticas importadas han ejercido en la evolución de la música peninsular. Sin entrar en detalles ni señalar las notables excepciones a las afirmaciones precedentes, debemos convenir que al negarnos (con toda lógica) a proseguir en el camino del nacionalismo, y al declarar y aceptar (sin revisar sus posibilidades) la caducidad de sus principios activos, se ha cerrado para la música española la posibilidad de mantener un pabellón con perfil no prestado en el concierto sonoro de la Europa de nuestros días.

Los problemas planteados y las cuestiones estéticas adyacentes que tales problemas llevan aparejadas, son de evidente complejidad y su solución, no depende del mero hecho de afiliarse a una u otra de las múltiples banderas espirituales que en estos últimos años han proliferado en esta vieja cultura. La simple adscripción a un determinado credo estético, no resuelve el expediente en el que se ventilan las innumerables soluciones expresivas de una nación, en función de lo que la voz de su pueblo, sea aún capaz de decir.

La música española, al llegar a 1946, como gran número de sus manifestaciones culturales perdió su empuje y con él, su rumbo. Durante un período considerable, la desorientación cundió en la mayoría de las mentes estéticamente conscientes y responsables y del mismo modo que no estimamos ética la cómoda actitud de algunos compositores rusos que como Khachaturian, Amiroff, Kabalewsky, e incluso Schostakovitch en algunas de sus obras, han convertido en academismo formulario, la heredada lección del nacionalismo, al aprisionar sistemáticamente la temática popular en esquemas o clichés estereotipados, tampoco consideramos en puridad aceptable, la posición mantenida en nuestro país, por quienes se sirven del patrimonio legado por Manuel de Falla en el "Concierto" y en el "Retablo" a manera de coto en el que cultivan un rezagado post-nacionalismo, que al no estar proyectado hacia nuevos horizontes, provoca la asfixia del propio sistema.

Si tales actitudes, que podríamos denominar reaccionarias o burguesas (una de ellas referida a Rusia (!) que atiende más a lo "social" que a lo "artístico" de la obra) se nos merecen incorrectas estéticamente hablando, igual juicio merecen las sostenidas por muchos compositores que aceptan sin previo discernimiento, los sistemas negadores de la armonía diatónica, y convierten la noble función investigadora que el atonalismo y sus secuelas significa, en mera aplicación de reglas, con lo cual su impulso inicial se anquilosa y fosiliza en una calculada y fría especulación.

Una falta casi total de orientación se observa en la música española en los años inmediatos (anteriores y posteriores) al traspaso del compositor gaditano, desorientación que, conflictos armados aparte, es reflejo del quiebro experimentado por la música europea en el mismo período. Pero mientras en varios puntos de Europa esta manifestación artística recobró, al buscar en la lección de Webern (fallecido en 1945) y en las conquistas técnicas alcanzadas en el campo electrónico y radiofónico, nuevas posibilidades de expansión musical lo cual representa en síntesis una actitud viva, dinámica y alerta (cuyos resultados, conquistas y valores no es hora de calibrar), los compositores peninsulares aceptaron, según veremos, el diezmado legado de las experiencias anteriores, del que liquidaron sus últimas posibilidades para ofrecer en cambio escasas perspectivas de renovación.

En suma : el espectáculo que musicalmente ofrece España en las vigilias de caer el medio siglo es en general desolador, y no tanto por carecer de figuras, sino por el escaso porte y aliento que éstas imprimieron a la vida española, lo que provocó su ausencia de dinamismo creador y en definitiva la formación de una atmósfera viciada y enrarecida. A este hecho debe agregarse la lenta vulgarización (en sentido unamuniano) del gusto del público, su paulatino alejamiento de las salas de concierto y su total divorcio y desinterés por las cuestiones que de manera más directa afectan a la creación artística, entendida ésta como función vital y expresiva de un determinado instante espiritual. En otros capítulos de este libro insistiremos sobre este último aspecto de aquella crisis e intentaremos estudiar los factores causantes de la expresada postración.

CAPITULO II

El nuevo arranque de la expresión cultural peninsular

Ha quedado consignado en el anterior capítulo, que el año del traspaso de Manuel de Falla, no es un punto de partida escogido al azar, ni constituye una fecha arbitrariamente elegida pues, aparte de señalar el fin de una de las más grandes personalidades de la música contemporánea, es también indicador del momento en que se inicia el recobramiento de la expresión cultural peninsular. Es por las inmediaciones de 1946, que se detectan los primeros síntomas de un despertar cultural, después de varios años de letargo intelectual, sostenidos únicamente por actitudes estéticas reaccionarias, o amparadas por los criterios oficiales de creación artística.

Liquidada por la guerra, y desarticulada en consecuencia la apretada cohesión de los elementos integrantes del grupo literario, que después de la "generación del 98", otorgó mayor esplendor a la espiritualidad española (R. Alberti, Pedro Salinas, F. García Lorca, José Bergamin, Vicente Aleixandre, Dámaso Alonso, Gerardo Diego, etc.), el vacío engendrado por tan múltiples ausencias, originó, según veremos, una nueva visión y sentido de la expresión y giro imprimido a nuestras letras.

Por su lado, el frente que integrado por los hermanos, Ernesto y Rodolfo Halffter, Salvador Bacarisse, Gustavo Durán, Pittaluga, A. Salazar y Casal-Chapí, que formaba el componente musical de aquella generación, sintió asimismo a partir de los acontecimientos de 1936-1939 el desgarre de su desintegración y la pérdida de su conciencia de bloque cultural unitario.

Terminada la contienda, el vigor, el empuje ascensional y la firme personalidad que individualmente y en conjunto ofrecían los miembros de las promociones literarias y musicales expresadas, es reemplazado por un nuevo estilo cultural, cuyas principales premisas encierran y aprisionan dicha manifestación en los limitados y angostos moldes de un academicismo oficial, que, si en las letras intentaba hincar sus raíces en el pensamiento y forma literaria de nuestro Siglo de Oro, en las ramas arquitectónica y plástica se centran en el monumentalismo escurialense o en el realismo velazqueño (Alvarez de Sotomayor) o de Zurbarán, con el afán de dotar al imperialismo que postulaba el nuevo estado, similar expresión artística a la que definió los días de nuestra grandeza pretérita. El fenómeno no es nuevo ni exclusivo del país. Muchos sistemas estatales aspiran a manifestarse en el ámbito intelectual en fórmulas seguras, reconocidas como clásicas y aceptadas por las Academias oficiales y Escuelas de Bellas Artes.

La implantación de tales principios estéticos, comporta la doble ventaja de asegurar la perdurabi-

MANUEL DE FALLA (Foto Archivo ABC.)

OSCAR ESPLA

lidad —porque se trata de un arte con cimientos "eternos"— de las obras nacidas bajo el régimen que las tutela y la eliminación de las tesis individualistas propias del arte de minorías, que generalmente son tenidas por peligrosas, si no anarquizantes.

Recordemos, a guisa de antecedente que el retorno a los principios clásicos bajo Napoleón "Imperator" no sólo tomó cuerpo en la fría especulación plástica de los lienzos de David, sino que incluso en el régimen oficial de la Corte se intentó (y consiguió) implantar una moda de línea "imperio", que no se limitó a la indumentaria, sino que alcanzó también al mobiliario.

Que en la Alemania nazi, Albert Speer, después de hablarnos repetidamente de los "grandes períodos" [1] y entendiendo por uno de tales el que definió la vida del III Reich, eleva al campo de la arquitectura la idea de monumentalidad y solidez pétrea del imperialismo romano, que por inspiración hitleriana debía representar la potencia y la fuerza del partido nacional-socialista y por ende del pueblo germano. En idéntico sentido se orienta la obra de Paul Ludwig Troost, que esconde detrás de sus colosales (la palabra era particularmente cara al régimen) columnatas el positivo manifiesto imperialista teutón mientras que, la escultora Arno Breker, y Josef Thorak con su culto a la concepción naturalista encuadrada en unas fórmulas académicas, constituye el parangón y complemento de la orientación arquitectónica apuntada.

Análoga postura notamos en Rusia, donde pasada la euforia de la primera revolución (1917) y en-

---

[1] "La nueva arquitectura alemana". Albert Speer. Volk und Reich Verlag. Berlín, 1941.

cauzadas las aguas al *orden* socialista, una de las primeras preocupaciones del Partido consistió en eliminar los brotes más destacados del arte individualista decadente y "burgués" representado por Malevitch y Kandinsky, para estructurar una expresión artística que en su afán de servir de ilustración a la masa, no se distingue precisamente por su carácter revolucionario, antes bien por un perfil conservador y monumental. Sirvan de ejemplo la imponente mole de la Universidad de Moscú, las Sinfonías de Schostakovitch y los conciertos de Khachaturian y Kabalewsky.

Idéntica o similar tendencia imperó en Italia en los años de apogeo del fascismo con la obra de Marcello Piacentini. Citamos como ejemplos más representativos el "Foro Mussolini", y la generalidad de los pabellones o palacios que debían constituir el escenario de la exposición proyectada para 1942, cuya consumación la guerra frustró.

Nuestro país no fue excepción a esta regla impuesta por la biología política, y por tanto, no pudo sustraerse en los años iniciales de vigencia del actual sistema administrativo, del poderoso dictado que postulaba por la revalorización de los principios informadores de nuestra pasada grandeza clásica, a los que agregó la dimensión propia de los principios inspiradores del Movimiento.

Ello no sólo implicó la negación o el olvido de los fundamentos liberales e individualistas de inspiración europea y progresista en que se asentaba esencialmente la creación artística durante el período republicano ("Institución libre de Enseñanza" : Giner de los Ríos), sino que además, motivó la aparición de una promoción artística, que en todos los planos en que proyectó su expresión llevaba acuñada las nuevas consignas estéticas.

Bajo el signo apuntado, surgen unas promociones uniformadas por la investidura de los cánones de "la vuelta al Siglo de Oro", que en el área de la poesía se concretó en la generación del "soneto". Dionisio Ridruejo, Leopoldo Panero y Adriano del Valle rehabilitan en un alarde de precisión técnica y estilística, el noble y cadencioso rigor formal de aquella estructura poética. En Madrid, la revista "Garcilaso" resume e ilustra la actitud espiritual de aquel frente, que tuvo su equivalente en los "Cuadernos de poesía" que en las mismas fechas dirigía en Barcelona Juan Ramón Masoliver. En tono a los "Cuadernos", se agruparon los poetas Fernando Gutiérrez, Miguel Segalá, Julio Garcés y J. E. Cirlot (quien, según veremos, evolucionó rápidamente hacia concepciones estéticas más abiertas) las cuales sustuvieron posiciones análogas a las mantenidas por el grupo central.

Si dentro de la propia zona literaria nos situamos en la parcela de la prosa, hallamos en el mismo período la elegancia barroca de Rafael Sánchez Mazas y de Pedro Mourlane-Michelena principalmente, acompañados por las precisas construcciones discursivas de Luys Santamaría, Angel M.ª Pascual y Eugenio Montes.

El cúmulo de datos, que además de los expuestos pueden aducirse en apoyo de las afirmaciones que anteceden se encadenarían en una interminable lista en cuyo detalle no entraremos y de la que presentaremos tan sólo en sus rasgos más significativos. Así apuntaremos que mientras el vigor, nervio y tensión expresiva que trasciende de las telas de Velázquez, intenta en vano cobrar vida en las frías copias realistas de Alvarez de Sotomayor, en el amable paisaje de José M.ª Santamarina y Pedro Bueno, o en las más personales especulaciones plásticas del canario José Aguiar, por el lado arquitectónico, la monumentalidad a que aludimos, invade nuestras mentes rectoras, que en nuestro país adopta un claro perfil herreriano, o si se quiere, escurialense, del que son muestras fehacientes el Ministerio del Aire y parte de la Ciudad Universitaria madrileña, como más evidentes. Gutiérrez Soto, Muguruza, Luis Moya y Zavala son los arquitectos "chapitelistas" que dictan los principios que deben presidir la uniformidad de la construcción española a los que estuvo adscrita en sus inicios la obra de Fisac (Consejo Superior de Investigaciones Científicas), basados fundamentalmente en el retorno al clasicismo. "Como en otros sectores de las artes plásticas —ha escrito Juan Perucho [1], al tratar del panorama desolador de 1940 en el que José A. Coderch asumió la primera postura inconformista frente al estilo oficial— se pensó erróneamente y en función a una determinada actitud política, que los frutos de todo arte que se llamara vivo, eran nefastos y contrarios a los ideales de orden y belleza. Se preconizó un retorno al clasicismo, a las formas neo-clásicas sosegantes y serenas, y como todo retorno a algo, como todo lo que es falso y no responde al espíritu y a la problemática circunstancial del hombre, este retorno, este neo-clasicismo lo fue al cartón-piedra, a la yesería y a la tierra cocida."

La imagen bíblica de la estatua de sal, cobra aquí su pleno sentido.

---

1 *Juan Perucho,* "Invención y criterio de las artes" número 1266 de la revista "Destino". Barcelona.

Del estilo dominante en el ramo de la construcción eclesiástica en los años que siguieron de inmediato a la guerra civil, es preferible no tratar porque el "pastiche" parece ser el único criterio creador en tal sector. Un neo-gótico desangelado, y un románico de piedra artificial, son los únicos estilos que cobijan una imaginería realizada en serie, en la que, prescindiendo de su baja calidad artística, está ausente el más elemental sentido religioso.

Señalemos por fin, que en el teatro, después de "La Santa Virreina" y de "Metternich" de Pemán, fue "Chiruca" de Adolfo Torrado la obra que para desdoro de nuestra escena figuró, casi en exclusiva, en el cartel teatral en las fechas contempladas.

En suma, en la generalidad de las esferas de la creación artística, no existe en el lapso señalado otra preocupación artística (al menos públicamente) que la determinada por las normas dictadas en los estadios superiores de la nación.

Dentro del impreciso margen temporal durante el cual emergen las experiencias espirituales después de un no menos vago período de gestación, puede afirmarse que la actitud mencionada se mantuvo en todo su vigor, hasta que, en el quinquenio 1945-1950 se registran sus primeras deserciones estéticas apareciendo en el propio período los primeros brotes de un nuevo espíritu en la generalidad de los estratos de la creación artística y así, notamos que, a la vez que se liberaliza en muchos puntos la posición espiritual de D. Ridruejo, J. E. Cirlot, después de una fase de signo surrealista, toma decididamente el partido por las experiencias informalistas ; que en arquitectura, Miguel Fisac, abandona capiteles y frontones para encauzar sus experiencias hacia una concepción realista o funcional de su profesión ; que entra en la escena cultural un nuevo y heterogéneo espíritu, en el que en la variedad y amplitud de su diapasón temático e ideológico, el asunto meramente poético o especulativo, alterna con una problemática de honda repercusión social y política.

Las primeras fisuras abiertas en el monolítico cuerpo de la doctrina estética oficial, se originan en los focos inconformistas de la Capital, Barcelona, y diversas ciudades del norte de España, que se pronuncian en favor de una libertad de expresión que pugna por romper las recetas del arte pregonado e impuesto como único.

Gabriel Celaya, después de unos años de mutismo ("Marea del silencio" está editada en 1936), vuelve a la brecha en 1947 ("Tranquilamente hablando", "La Soledad cerrada"), mientras Blas de Otero, que da a la estampa en 1950, "Angel fieramente humano", "se siente solo y como desarraigado o desplazado de su tierra" y "vuelca su poesía en una proyección social descarnada y amarga en un malabarismo verbal que a veces recuerda a Quevedo y, cuando la expresión es más apasionada y tajante, a Miguel Hernández" [1]. El primer libro de José M.ª Valverde, "Hombre de Dios" es de 1945.

En fechas cercanas a las indicadas publican también sus primeras obras José Luis Hidalgo y José Hierro, quienes en unión de los otros asumen la responsabilidad de inyectar nueva vida y fuerzas al ambiente espiritual del país.

En el Principado Catalán, aparece en 1946 la revista "Ariel", publicación receptora de las generales inquietudes de expresión de Cataluña y en cuyas

---

[1] M.ª de Gracia Ifach, "Cuatro poetas de hoy", Taurus ed., S. A. Madrid, 1960.

columnas figuran textos en que se barajan los nombres de Salvador Espriu, José Romeu, Jordi Sarsanedas y J. Triadú que, en suma, dan fe y dejan constancia de la renovada vitalidad de las letras catalanas después de su forzado silencio. "Sota la Sang", de J. Perucho, primer libro de poesía que en Cataluña asume y define una nueva conciencia, es de 1947. En 1949 Salvador Espriu publica "Les cançons d' Ariadna".

Después de las positivas conquistas y afirmaciones de Camilo José Cela ("La familia de Pascual Duarte", 1942), fue Carmen Laforet quien rompe con "Nada" (1944) la mediocridad reinante en la zona de la novela atenta a una forzada expresión patriótica de recuerdo de la guerra civil recién pasada (Cecilio Benítez de Castro, Carmen de Icaza).

Como antecedente de la recuperación y vuelta al camino de la normal evolución en la zona de la pintura, anotamos que en el año 1943, aparece en Barcelona como brote aislado, la primera exposición inconformista (Fin, Vilató, Fabra y Rogent), que intenta sacudir al apoltronado ambiente artístico en que estaba sumida la nación. Años más tarde (1946) entran tímidamente en escena Alberto Rafols Casamada, María Girona, y Miguel Gusils, entre otros, que dan en pintura y escultura el paso decisivo que conducirá a los "Salones de Octubre" (el primero es de 1948) mirador en el que comparecen las obras de Antonio Tapies, Modesto Cuxart y Tharrats, quienes en 1947 con Juan Brossa, habían lanzado su manifiesto estético a través del inquietante "Dau al set", la turbadora publicación, matriz de un movimiento que hermanaba lo más instintivo con lo más intelectual de la expresión artística y que ha obligado a una general revisión de los valores y principios en que se asentaba no sólo el arte peninsular, sino el europeo en general.

Si no hace mucho hemos tratado del estancamiento de la mentalidad peninsular en el ámbito de la arquitectura, justo es señalar ahora, que en tal materia, también en el quinquenio 1945-1950 se detectan los primeros síntomas de aireamiento. En torno al "Grupo R." se articulan y alinean las figuras de Coderch, Mitjans, Oriol Bohigas, Giraldez y Manuel Ribas, entre otros, que adaptan a la problemática actual la experiencia del G. A. T. C. P. A. C., iniciada e impulsada en las vigilias de nuestra lucha interna por José Luis Sert, y Torres Clavé, e idéntico viraje se efectúa en Madrid y en otras poblaciones en las que tomó contacto con la nueva conciencia constructiva.

Si abandonamos el punto desde donde hemos contemplado, en su amplia perspectiva el fenómeno de las mutaciones espirituales que tuvieron por escenario el país en el indicado lustro, para dar de ella una relación descriptiva y nos acercamos a examinar en detalle, "qué" materia estética las ha animado, observamos que en el plano ideológico, un doble linaje de principios han determinado la expresión espiritual de las actitudes renovadoras de postguerra. A un lado hallamos las que vinculan y ligan sus creaciones con las manifestaciones surgidas en un pretérito próximo, a cuyas creaciones sus representantes incorporan nueva vida. Por otra parte tenemos aquellas tendencias que son fruto exclusivo de unas experiencias insólitas, trasunto nacional del movimiento espiritual que irradió la cultura de Europa al día siguiente del último armisticio.

Por regla general, asumieron la primera postura quienes habían hecho sus primeras armas artísticas en la vigilia de la lucha civil, y tenían antes de 1936 edad y formación suficiente para haber asimilado los principios que fundamentalmente informaron el pensamiento peninsular en aquel instante. La segunda actitud es mantenida preferentemente por los elementos de las generaciones más jóvenes, que, libres de trabas estéticas y sin memoria de etapas pretéritas, trasladan y dan forma en estas latitudes, los variados contenidos emocionales de la torturada y angustiada crisis del pensamiento occidental en aquellas horas desconcertantes.

La dualidad de posición denunciada, se hace particularmente sensible en la zona de las artes visuales en las que Vázquez Díaz, Zabaleta, Solana, Joaquín Sunyer, A. Clavé, Xavier Valls, Ramón Rogent o José Mompou, representan, actualizada, la primera postura, mientras que Antonio Tapies, Cuxart o Tharrats son los destacados dirigentes de la segunda. Tal movimiento conducirá a la aparición de múltiples grupos que en la expresión plástica han roto con el pasado, el más importante, el del "Paso" integra las figuras de Saura, Viola, Canogar y Millares, principalmente.

En el sector de la expresión sonora, la doble actitud de que hablamos está representada por una considerable mayoría de autores (Esplá, Halffter, Montsalvatge, Comellas, etc.), de una parte, y por José Cercós y Luis de Pablo de otra, pues mientras aquéllos perseveran en el régimen de la regular evolución musical del viejo continente, los segundos parten de de unos supuestos nuevos en que montar su pensamiento musical, sin antecedentes sensibles en el historial sonoro de Occidente. Naturalmente, también la actividad musical decreció sensiblemente en los años que siguieron inmediatamente a la lucha civil, que, con excepción de Rodrigo, que monopolizó buena parte de la producción sonora de aquellos días y de Montsalvatge, que en las mismas fechas dio una abundante obra con destino a la escena (ballet, especialmente), en general las tareas de composición acusan un notable descenso.

El primer frente articulado que introduce el virus de la duda acerca de los valores adoptados como buenos y se plantea de nuevo la cuestión acerca del enfoque estético hasta el momento admitido en orden a la creación sonora, toma cuerpo en el "Círculo Manuel de Falla" (1946) que agrupó en Barcelona a los compositores que en aquel instante contaban entre 20 y 30 años. Tales compositores —según veremos en el lugar donde se estudia con detalle—, a pesar de no presentar un bloque estético unitario, comparecieron con el criterio común de promover un aireamiento en la enrarecida y viciada atmósfera que en el plano cultural se respiraba, y de dar por tanto un nuevo impulso a la creación sonora, provocando un clima de inquietud en la música peninsular.

En las provincias valencianas, los vaivenes culturales denunciados se hacen sensibles al considerar la actividad de los compositores levantinos pues, aparte del vacío provocado por la ausencia de Oscar Esplá en aquel entonces, en la producción de Vicente Asensio, Matilde Salvador, Vicente Garcés, puede detectarse un sensible paro o suspensión de su actividad creadora en los años 1939-1946. Observamos que Asensio, que contaba con una abundante obra antes de 1936, lo producido durante los años indicados se reduce a "Preludio de la Dama de Elche" (1940), "Cuarteto en sol" (1942) y a una pieza para piano, "Infantivola", de 1945, producción cuya escasez contrasta con lo presentado después de 1946 que alcanza una cifra superior a veintidós obras.

Lo propio ocurre con Matilde Salvador, quien entre aquellas fechas sólo dio tres partituras, "La filla del Rei Barbut" (1941-1942), "Seis canciones españolas" (1939) y "Zejel" (1945) mientras que lo producido desde 1946 a nuestros días, sobrepasa el número de veinte composiciones.

La notas de mayor relieve en las fechas que comentamos (1946) de la música vasca, la dan tres personalidades de muy diverso y dispar signo espiritual y ya definitivamente consolidadas en la música peninsular : Jesús Guridi, principal representante en la rama sinfónica ; el P. Donostia, en varios géneros de la expresión sonora y muy en particular en la especialidad de la investigación y Pablo Sorozabal que se ha distinguido notablemente en la zona de la zarzuela.

En el punto en que arrancan las presentes consideraciones, las provincias vascongadas no habían aún conformado su proyección futura en materia musical. Pascual Aldave, discípulo del P. Donostia, muestra esporádicamente una obra cuidada y discreta desarrollada preferentemente en el plano coral. Hasta que surgen los nombres de Luis de Pablo, y Carmelo Alonso Bernaola, en composición, y Joaquín Achúcarro en interpretación, no se perfilan nuevos horizontes en esta sección de la múltiple voz peninsular.

Las restantes regiones españolas, Andalucía y Castillas, principalmente, tienen por regla general en Madrid su medio idóneo de manifestación, que en los últimos años ha aglutinado personalidades tan representativas (a la par que divergentes en sus objetivos), como las del turolense Antón García Abril, del sevillano Manuel Castillo, el madrileño Calés Otero o el murciano Manuel Moreno Buendía.

Después de esbozados estos extremos de nuestra vida cultural y puntualizados en apretada síntesis los antecedentes que constituyen el paisaje cultural del momento en que perdimos nuestro más calificado representante en el arte del sonido, llega el instante de señalar cómo se tradujeron aquellas directrices en las realizaciones concretas de los diversos compositores que formaban entonces la principal constelación de la música española.

Se estudiará, en primer lugar, el sentido de la labor realizada en los últimos quince años por los miembros de los distintos frentes que, en el momento de la muerte de Manuel de Falla, militaban en el solar español. Examinaremos, por tanto, la obra de los compositores que, como Joaquín Turina y Conrado del Campo, sobrevivieron poco tiempo al autor del "Retablo" y, seguidamente, la de los componentes de la promoción integrada por Oscar Esplá, Jesús Guridi y Jaime Pahissa, como cabezas visibles más significadas.

Más adelante, consideramos los criterios que han informado las realizaciones del "Grupo de Madrid" (Rodrigo, Pittaluga, Julián Bautista, F. Remacha, S. Bacarisse y Halffter) y sus coetáneos de Cataluña y Valencia (Toldrá, Mompou, Gerhard, Blancafort, Manuel Palau, etc.).

Finalmente, y dentro del orden cronológico de su aparición, se estudiarán los valores que entre las fechas contempladas han dado nuevo sentido a los principios que informaron sus iniciales manifestaciones (Montsalvatje, Homs, etc.), y las de aquellos que han comparecido "ex-novo" en el escenario musical en el propio período.

Pero antes de acometer dicho examen, que constituye objetivo esencial de este libro, conviene referirnos a la mutación experimentada por la música y la cultura europea en los años que siguieron al cataclismo 1939-1945, porque las circunstancias que determinaron y definieron tan radical cambio de frente no dejaron de repercutir y de causar honda transformación en los criterios de creación que rigen en nuestros días.

CAPITULO III

Examen de la conciencia actual de Europa

"Estamos en presencia de lo impensable."

GAETAN PICON.

Las gentes que habían llegado a la mayoría de edad cuando sonaron los últimos disparos de la contienda mundial que durante más de un lustro ensangrentó la tierra y ofuscó las conciencias europeas han asistido a una de las más graves, profundas y rápidas metamorfosis que se han operado en el pensamiento de este viejo continente en todos los ámbitos de su manifestación vital. Aunque los términos en que se ha desarrollado el cambio aludido son conocidos por quienes han seguido de cerca sus fluctuaciones e incidencias, no es posible omitir aquí los puntos esenciales de las mismas, porque constituyen un antecedente y, a la vez, la justificación de innúmeras actitudes espirituales de hoy, de las que son expresión.

Uno de los cometidos esenciales que modernamente se asignan a la expresión artística —con independencia de la intención que su autor quiera primordialmente incorporar— *es el de dar testimonio de su tiempo y ser reflejo de sus fundamentales inquietudes*. De aquí la premisa que, al otorgar validez a las obras nacidas bajo la inspiración de la actualidad —no confundir con la moda— declara la caducidad de las inspiradas en el prestigio de ideas pertenecientes al pasado. Importa insistir en la distinción apuntada, porque creemos que, aceptado el margen de imprecisión valorativa causado por la proximidad de los acontecimientos que intentamos analizar, constituye una de las vías de aproximación a la obra, que mayores garantías de concisión estimativa ofrece y por ello, servirá de módulo para la apreciación de muchas obras objeto de nuestro examen, que perfectas en sus aspectos técnico y formal, carecen de aquel aliento vital (desagradable a veces por su intolerancia innovadora) que, en definitiva, constituye la sola "razón de ser" de la obra auténtica.

Sentado este punto, interesa precisar que de la variada proyección del complejo giro del pensamiento europeo, sólo trataremos aquí, con algún detalle, de aquellos aspectos cuya evolución y actual situación han repercutido de forma más directa e inmediata en las distintas ramas de la expresión cultural española y, naturalmente, también examinaremos en qué medida nuestras manifestaciones espirituales han intervenido en la definición de los supuestos que rigen en los distintos planos en que se desenvuelve la vida espiritual de Europa.

No es necesario insistir sobre el hecho del aislamiento de España durante el dilatado período que siguió a los malentendidos peninsulares, y se prolongó hasta bastantes años después de terminada la contienda mundial, apartamiento que no sólo nos vedó en aquellos instantes de poder participar como actores en el tremendo viraje que se efectuaba, sino que nos impidió de asistir como espectadores al magno y angustiante espectáculo que se desarrollaba en los países rectores del saber occidental. Esta forzada pasividad o, si se quiere, esta restricción de nuestras posibilidades de intervenir y participar en la definición de las ideas que amanecían y que redujo al silencio en aquellas fechas a las voces alerta de la intelectualidad española, trocó nuestra mentalidad —en parte lo hemos visto en el capítulo anterior— en un culto y adoración a un pasado actualizado que no tardó en asfixiar en su propio caldo a sus más adelantados preconizadores. Pero volvamos a Europa.

Un cambio total en los criterios que rigen la soberana hegemonía del pensamiento europeo ha tenido lugar en el período de unas escasas docenas de años, cambio particularmente sensible, en ciencia física, arte, sociología o medicina, actividades que han acelerado recientemente su proceso evolucionador en forma tan vertiginosa, que cada día son menos los cerebros que pueden registrar, sopesar y seguir sus mutaciones hasta sus últimas consecuencias. Después de la caída de los aparentemente inconmovibles principios en que se fundamentaba la explicación mecánica del mundo (Newton, Laplace), hemos asistido a la fecunda y sugestiva etapa innovadora de la relatividad seguida de su crisis [1] y a la aparición

---

[1] Paul Langevin, "L'evolution humaine" (A. Quillet, edit.).

PABLO CASALS

JOAQUIN RODRIGO (Foto Muller.)

de nuevas hipótesis sobre la íntima estructura del universo y de la materia. No es preciso entrar en pormenores de las conquistas de la medicina y de su permanente aliada la farmacia; sólo apuntaremos que si la cita del término "antibiótico" ilustra de forma elocuente y simultánea del fenómeno que conduce a la fatal desaparición de la pintoresca botica y su sustitución por el trabajo realizado en los modernos laboratorios de investigación farmacológica, los hechos de la "prolongación de la existencia, elección de sexo del hijo, fecundación póstuma, generación sin padre, embarazo en matraz, modificación de los caracteres orgánicos antes o después del nacimiento, regulación química del humor y del carácter, genio o virtud por encargo...", nos hablan por boca del biólogo Jean Rostand [1] de la tremenda y alucinante situación de esta parcela de ciencia.

Por otra parte, "el mundo de los cerebros electrónicos, del radar, de los aviones a reacción, parece, sin duda, casi natural —escribe Gaëtan Picon [2]— a los que no han conocido otro. El adolescente, es con frecuencia amante de las novelas científicas y siempre un aficionado al jazz. Para gustar la pintura y la poesía moderna, para oír, si es filósofo, la voz de los pensadores existencialistas, no tienen que vencer la resistencia que tenemos que vencer nosotros, ni inventar las pasiones que nosotros hemos inventado, nosotros que hemos pasado de Monet a Picasso, de Baudelaire a los surrealis-

---

[1] Jean Rostand, citado por Laín Entralgo en "Ocio y Trabajo", pág. 146. Ed. "Revista de Occidente". Madrid, 1960.

[2] Gaëtan Picon, "Panorama de las ideas contemporáneas" (Edit. Guadarrama. Madrid).

tas, de Kant a Kierkegaard, de Beethoven a Bela Bartok, de Alejandro Dumas a Ray Bradbury", y agrega a continuación: "Y es un hecho además, que un joven que ha encontrado la historia de su país en junio de 1940, y la de Europa en el momento del encuentro junto al Elba del ejército soviético con el americano, no ve la conferencia de Bandoeng o las bases de U.S.A. en Europa como los que se acuerdan de Briand hablando a la Sociedad de las Naciones. Sin embargo, si nuestros hijos no están molestos con sus propios recuerdos deben también aceptar un esfuerzo bastante difícil; el de olvidar las primeras palabras que les hemos enseñado. La cultura que se les comunica, es aún la del mundo antiguo."

Nos hemos permitido transcribir este dilatado párrafo en que el agudo sentido de síntesis del gran pensador francés resume de una magistral forma, simultáneamente gráfica y profunda, la totalidad del ámbito que abarca el cambio operado, e ilustra inmediatamente acerca de la vasta proyección del cambio de rumbo mental a que asistimos.

La totalidad de los principios tenidos por intangibles en la concepción vital de Occidente, han experimentado una profunda transformación en el tiempo que media entre la fecha del armisticio hasta nuestros días. No sólo el pensamiento científico al que nos referimos ha sido blanco de tales mutaciones, pues la expresión artística, las concepciones sociales, la mentalidad política, en suma, todo lo que en la vieja concepción de vida de Europa, tenía un sentido, ha sufrido una seria alteración en su norte o en su esencia. Si momentáneamente hemos invocado las manifestaciones fundamentales de nuestra cultura, traemos ahora a colación otras, que en su aparente accidentalidad son más radicalmente denunciadoras del cambio sufrido: uniformidad en el vestir, mayor nivelación entre las distintas clases sociales determinada por los progresos de las infiltraciones del socialismo, que al igual que el capitalismo, ha tenido que revisar su doctrina; la racionalización del trabajo y de la producción, la intervención del Estado en la vida privada, el descrédito del ahorro y la aceptación "velis nolis" de su nueva forma, el seguro, etc. En suma, que la moda en su más generalizada acepción, la política, las concepciones sociales y artísticas y el enfoque del cotidiano vivir, todo ha cambiado en el transcurso escaso de una docena de años, creando a la postre, un nuevo estilo vida.

El ideal del Estado, es aún oficialmente de corte liberal y liberales son (al menos en el papel) las repúblicas o reinos nacidos y supervivientes de la guerra. Pero en conciencia, ¿qué escapa al control, fiscalización e intervención de la moderna máquina estatal? En el terreno moral y social, vemos, comprendemos y aceptamos ahora conceptos y realidades que sólo veinte o veinticinco años atrás habrían resultado inconcebibles. Un novísimo modo de vida, determinado por el cambio de criterio en la orientación de la forma de concebir la existencia humana, gestado a lo largo de esta centuria y precipitado por la pasada conflagración mundial ha irrumpido en nuestra vieja cultura.

Ante el hecho incontrovertible descrito, debemos preguntarnos: ¿"Qué sentido" ha tenido y tiene la evolución aludida? ¿Qué contenidos culturales, estéticos o espirituales la han nutrido? Y, finalmente, a la luz de las hipotéticas contestaciones a tales interrogantes, ¿es posible definir aún la experiencia intelectual española en los términos, proposiciones, medidas y valores que podían utilizarse para calibrar su perfil cultural en la vigilia de la guerra?

Desde luego, en la totalidad de las manifestaciones de la expresión artística, únicas que caerán dentro de nuestro campo visual, habían de repercutir las mutaciones estimativas de los conceptos fundamentales del vivir europeo. Poesía, música, pintura, escultura o arquitectura, todo está, en mayor o menor grado, afectado por el viraje experimentado por el pensamiento europeo, viraje que ha merecido la consideración de crisis no por estimar su falta de ideas, sino por considerar la magnitud del quiebro existente entre las nuevas que se imponen y las que tienden a desaparecer, por haberse perdido la confianza en su potencialidad creadora, en su proyección futura.

Ante la desorientación causada por la novedad de los sistemas impuestos hablamos de crisis, porque "la creación acumulativa del arte europeo —dice Diez del Corral [1]—, el secreto de su libertad creciente, se debe a que ha sido siempre, de una manera esencial, un arte de apoyatura, un arte que ha acertado a tomar como base un pasado artístico, identificándose idealmente con él y actualizándolo para potenciarlo y potenciarse."

La pretendida crisis se traduce generalmente en una especie de reaccionaria lamentación, seguida de "responso", por el fatal naufragio de unas ideas —tan caras como se quiera —que ya cumplida su función y agotado su vigor, permanecen adheridas como hojas secas al árbol de la cultura, hasta que el primer vendaval ideológico las arranca, pues sólo "entendemos por ideas contemporáneas, todo lo que

---

[1] Díez del Corral, Luis: *El Rapto de Europa.* 2.ª ed. "Revista de Occidente". Madrid, 1962.

conserva una actualidad, una virulencia, una posibilidad de futuro".

Conviene dejar sentado, que ni la declaración de caducidad de una idea, ni la promulgación y puesta en vigor de otras, consideradas nuevas, constituyen sentencias firmes sin posibilidad de ulterior recurso de revisión, pues tales declaraciones no pueden aplicarse a ideas radicalmente sucesivas, ya que media una zona temporal en la que transitoriamente las ideas contrapuestas, si bien no puede decirse que contemporanicen (su antagonismo lo impide), conviven, hasta la extinción de la que ha perdido su prioridad y fuerza vital.

Asistimos hoy a una dramática lucha entre quienes sostienen la validez de un arte figurativo y los que al negarlo, afirman que el único camino viable está en el arte informalista y abstracto. En música, mientras contemplamos las múltiples vías experimentales que pugnan por asentar su soberanía en el actual universo sonoro (serialismo, música concreta, música electrónica) sigue abierto el interrogante acerca del destino que tiene reservada la tradición musical diatónica a la que los profetas de aquellos sistemas han decretado su próximo fin.

Ahora bien, mientras tal pugna se agudiza, no deja de ser curioso observar en la expresión artística de los últimos años un marcado divorcio entre las metas pretendidas por los propugnadores de la nueva expresión y las gentes destinatarias de la obra. Ya se verá en los capítulos finales la desvinculación de pintura, escultura y música en sus posturas extremas, de la variada matización de utilidades que pueden atender. Vemos que, mientras se cuida con singular esmero el mejoramiento material de la masa, estandarizada y uniforme, protagonista de las etapas históricas venideras, se crean unas abstracciones sonoras y plásticas, apreciadas solamente por núcleos intelectuales reducidos sin contacto con las necesidades espirituales del gran público, que, al no poder seguir las teorías formuladas para sostener los recientes presupuestos estéticos, tiene que refugiarse, o en criterios pretéritos o en unos inverosímiles sucedáneos de arte, moderno o no. Lo realmente grave de esta cada vez más acentuada divergencia entre la uniformización de la burguesía y la masa, teóricos destinatarios de la obra, y el deliberado propósito de trascendencia contenido en ésta, es la paulatina pérdida del norte espiritual de aquella clase que al desinteresarse de la problemática creadora dejan de rebote sin justificación el tradicional nexo de la proporción "arte-sociedad". José María Valverde [1] ha sentenciado con certera visión que "el hombre de hoy carece de formas mentales comunes que a la vez sean válidas para el buen artista".

Al llegar a este punto conviene que nos desviemos ya del esbozo que acabamos de trazar, referente al eco y repercusiones o relaciones entre el estamento creador y el trasfondo social que le sirve de telón, para acometer la difícil y compleja tarea de determinar qué criterios informan el arte del presente.

Frente a la frivolidad, ligereza y uniformidad en que se desenvuelve el hombre de hoy, opone el artista en su obra un deliberado propósito de trascendencia producto de una consciente meditación, en la que se mezclan un amargo escepticismo, una profunda preocupación social, especialmente en el sector literario (Sartre y Camus), y una voluntad icono-

---

[1] José M.ª Valverde: *Cartas a un cura escéptico en materia de arte moderno*. Biblioteca breve. Barcelona, 1959.

clasta que con seguro instinto ataca una complicada urdimbre de convenciones sociales y artísticas y en la que cobra de nuevo valor, bajo una forma actual, el "expresionismo" germano en muchas de sus manifestaciones.

Hemos hablado hace unos instantes de que, en esta etapa convulsiva que atravesamos, la negación del pasado en diversos sectores de la expresión artística ha tenido el complemento de una fe en las nuevas sistematizaciones expresivas, lo que nos ha inducido a creer en la no existencia de una crisis de la espiritualidad europea, pero a tal afirmación objetamos ahora, que no basta la presencia de unas mentes rectoras definidoras de la ideología incipiente proyectada hacia el porvenir, pues mientras perdure la falta de sincronización entre la inteligencia dirigente y la abotargada mentalidad del ciudadano anónimo y mientras esta masa, ciega, uniformemente movida y guiada, no participe en aquella definición en el sentido de comulgar y vibrar en los principios fundamentales de las nuevas proyecciones, no podrá sentarse esta época, que merecerá la conceptuación de transitoriedad en la que indudablemente se halla. En estos momentos, no está en crisis el pensamiento, sino el "hombre", este hombre "anónimo en el anonimato de la gran ciudad, sometido a una despiadada concurrencia sin rostro, habiendo perdido su integración natural en un medio social orgánico y la ayuda de las tradiciones" —según preciso diagnóstico de Gaëtan Picon [1].

Para este hombre, europeo de hoy, encuadrado en una maraña de organizaciones sociales que velan por su seguridad económica actual y futura, mediante

---

[1] Obra citada.

seguros sociales y previsiones para casos de emergencia (enfermedad, accidentes de trabajo), modelistas, decoradores y arquitectos se han aplicado en diseñar muebles, utensilios y viviendas que, reuniendo las máximas condiciones de comodidad y utilización, con un mínimo coste, sean a la vez unos modelos que, por su atinada estilización, respondan a unos principios estéticos en que color, forma y volumen y material empleado se conjugan lógicamente. La silla "Barcelona", debida a Van des Roes y la "Ponti", así lo atestiguan. Para este mismo hombre se han creado, con posibilidades generales y de inmediata utilización, unos automóviles cómodos, con unas formas de renovada belleza en cada serie lanzada al mercado, cuyas carrocerías han sido diseñadas de acuerdo con las reglas de la técnica aerodinámica. Para estas gentes, que tan particular atención merecen de todas las organizaciones políticas y económicas de nuestros días, ¿son aún válidas las elucubraciones artísticas que confinan el ámbito de su influencia, en los limitados núcleos de una minoría aristocrática del intelecto?

No se nos escapa y acertadamente apunta el arquitecto Oriol Bohigas [1] que "no sería posible una silla Eams sin las experiencias escultóricas de Arp, el Citroën DS 19 sin las superficies turgentes de Brancusi", lo cual significa, a la postre, que las aportaciones de la abstracción no han podido desgajarse de unas funciones utilitarias que sus más conspicuos defensores niegan. No es el momento de preguntarnos acerca de si es lícito al artista seguir elaborando tales abstracciones, con total indiferencia

---

1 "Tres ensayos polémicos sobre la pintura de Todó". Joaquín Horta, ed. 1961. Barcelona.

de la sociedad en que desarrolla sus actividades, como no lo es pretender que el creador, llámese músico, pintor o novelista, retorne o practique un "arte social" que por el objetivo esencial a que apunta, de orden extra-artístico, nos hace desconfiar de su integridad intencional.

Pasadas las experiencias del cubismo y del surrealismo en pintura y de este último en poesía, informadoras de los principales pronunciamientos anteriores a la última guerra, podemos observar que las aportaciones sustanciales del arte europeo se han concretado en una serie de manifestaciones de "huida" o de "evasión" a todo contacto con las vivencias inmediatamente precedentes e inmanentes, cuando aún creemos en la vitalidad de las expresiones nacidas al amparo de las experiencias asentadas en la tradición. Tenemos así a muchos artistas de las actuales promociones que parten de unos puntos o bases que no pretenden negar la tradición, sino que por desconocerla, se encaran con la turbadora experiencia de descubrir un nuevo universo, del que ignoramos qué perspectiva de continuidad nos ofrece. Valgan como ejemplo las muestras pictóricas de última hora, abstractas o informalistas y el "art-autre", y en música, las postreras derivaciones del sistema serial o dodecafónico, las experiencias de la música concreta y el recentísimo e inexplorado continente de posibilidades de la música electrónica.

Después de tan abigarrada exposición, en la que se ha intentado reflejar en sus líneas dominantes el cambio que lentamente se impone a la generalidad de los espíritus alertas de nuestros días, llega el momento de dar contestación a las cuestiones formuladas al comenzar estas consideraciones ¿qué matiz hemos aportado a la excitación del clima europeo de post-guerra? ¿En qué proporción, como europeos, hemos participado en la aludida transformación? Y, finalmente, ¿en qué escala hemos estado determinados por ella?

Si en muchos aspectos el retraimiento y aislamiento de España, en los años en que la virulencia del giro vital de Europa alcanzaba su cénit, motivó que su actitud fuera la de simple receptora de unas ideas que, en diversos órdenes y tras vencer la inicial impermeabilidad del país, germinaron y desarrollaron al compás y a la sombra de la idea matriz, en otros sectores de nuestra expresión cultural, al revertir al continente, lo hizo no como fenómeno reflejo, sino que con la imagen ibérica estampada en sus realizaciones. Mientras en algunas zonas del complejo vital, hemos ido a remolque de la iniciativa extranjera (nivel de vida, régimen económico, música), en otros frentes hemos dictado la norma a seguir, como en pintura, en la que las figuras de Antonio Tapies, Modesto Cuxart, Viola, Saura y Feito, al llevar a sus últimas consecuencias la magia aprisionada en la obra de Joan Miró, han dictado la norma a seguir como Angel Ferrant, Chillida, Subirachs y otros, han hecho lo propio en el mundo del volumen.

En el terreno de la novela, Camilo José Cela, Zunzunegui, Goytisolo, Sánchez Ferlosio, han conferido nueva proyección a los tipos ideados por Baroja, en tanto que Juan Perucho, José María Espinás y Manuel de Pedrolo (que ha dado la hechura del país a la experiencia teatral de Samuel Becket) han aportado una inéditas perspectivas en el campo de la novelística catalana.

Más discreta ha sido nuestra contribución y aportaciones a la zona teatral. Después de un período en que reinó la mediocridad escénica, Antonio Buero Vallejo ha sido la gran figura que ha sacudido los escenarios del país al dotarlos de inéditas posibilidades, ya disfrazando las lacras del fariseísmo social imperante con los ropajes que antaño revistió aquel vicio ("Un soñador para un pueblo", "Las Meninas"), ya dándole un nuevo sentido poético ("Historia de una escalera"). También en el capítulo literario y conscientes de su limitada trascendencia, ¿podríamos negligir las positivas afirmaciones de nuestro humor a través de las páginas de "La Codorniz"? Nuestro talante ha hallado en el "uso del tópico fuera de toda situación o en una situación incoherente con él" [1] una fórmula que en manos de Mihura, Herreros o Alvaro de la Iglesia ha abierto una nueva ruta en el humorismo europeo.

En la técnica de la construcción, después de la etapa "escurialense" o del "chapitel" madrileño, en la que se arrinconaron y olvidaron las realizaciones de Sert, y de la primera época de Durán Reynals, pasaron unos años en que se asimilaron los criterios constructivos vigentes allende los Pirineos. Las lecciones del finlandés Alvar Aalto, del suizo-francés Le Courbusier, de los italianos Sartoris y Nervi, o del americano Frank Lloyd Wright, una vez adaptadas a la vida del país, éste les ha otorgado su peculiar sello. Coderch, Torroja, J. M. García de Paredes, Moragas, Sostres, R. de la Hoz, Ramón Vázquez y José A. Corrales, son los principales artífices de la nueva mentalidad urbanística que lentamente cunde en las esferas responsables.

---

[1] Pedro Laín Entralgo, "La Aventura de Leer". Colección Austral, núm. 1279.

Finalmente, nuestro retraso científico, ha imposibilitado el intento de dar la horma peninsular a las experiencias de la música electrónica y de seguir de cerca el movimiento que dicha manifestación representa más allá de nuestras fronteras, de la que nos llegan esporádicas muestras, siempre desligadas del calor que les otorga el medio o ambiente en que se desarrollan.

A conciencia, hemos dado en las anteriores consideraciones un enfoque parcial, centrado en las posturas de mayor efervescencia extremista y polémica. Ahora bien, al tratar estas novedades, que representan las actitudes más inquietas de la conciencia occidental, no es preciso arrinconar los viejos conceptos rectores de la espiritualidad europea para tener noción de que dichas posturas son diferentes.

Tengamos presente que con aquéllas existen concepciones anteriores a la guerra, y que por ser auténticamente creadoras mantienen hoy todavía su total vigor y vida. Así, los principios y valores que animan la obra de Strawinsky, Bartok, Hindemith o André Jolivet, persisten en las creaciones de Henri Dutilleux, y por su parte, la obra de Picasso, Zabaleta, Clavé, B. Palencia o Bernardo Buffet en pintura no han perdido la fuerza inicial con que se manifestaron y forman una parte viva de los elementos integrantes en la actualidad, hoy totalmente presentes.

Por ello, adquiere singular relieve el hecho de que Schoemberg volviera entre 1938 y 1943 al sistema tonal con "Sinfonía de cámara" op. 37, "Kol Nidre" op. 39, "Variaciones para órgano" op. 40 y "Variaciones para orquesta" op. 43, y de una manera más vaga en la "Oda a Napoleón" op. 41 y en "Concierto para piano" op. 42, según René Leibowitz [1], y que el gran compositor vienés, en un artículo titulado "On revient toujours", afirma que "nada es inmutable en el dominio de lenguaje sonoro" y que "era posible un retorno a la tonalidad, siempre que fuese un retorno creador" [2], palabras que invitan a meditar acerca de la fugacidad de los "sistemas" que tanto predicamento tienen hoy.

En las últimas promociones de músicos españoles encontramos representantes de la últimas tendencias estéticas no derogadas, que giran en torno la binomio "nacionalismo-tonalidad", en su estadio más evolucionado y que, por tanto, enlazan y vinculan sus realizaciones a nuestro pasado. Hallamos también quienes intentan saltar el difícil obstáculo de dotar de nueva estructura —diríamos "no-euclidiana"— a la geometría sonora. En esta inquieta actitud, el espejismo del sistema, de la técnica a seguir, resulta engañoso porque el medio asume tal importancia que olvidamos el fin. "La técnica moderna se ha convertido de tal forma en mito que se ha tecnificado también la capacidad de mitificación del hombre occidental : es decir, ha quedado enervada su virtud intuitiva" [3]. Y ello es grave. La técnica ha uniformado la expresión y ha querido ignorar que detrás de los sistemas o procedimientos están las intuiciones humanas : está el hombre. El angustiado "que me arrebatan mi yo" de nuestro inconmensurable Unamuno adquiere cada día mayor significación.

---

[1] "Aspects recents de la Technique de douze sons". R. Leibowitz, en la Revista "Polyphonie". Núm. dedicado al sistema dodecafónico.

[2] Citado por Antoine Golea en "Estética de la música contemporánea". Ed. EUDEBA. Buenos Aires, 1961.

[3] Luis Díez del Corral. Obra citada.

SEGUNDA PARTE

LA GENERACION DE MAESTROS

CAPITULO I

Las postreras actitudes de Joaquín Turina y Conrado del Campo

Después del período de indecisión estética que ofrece la producción inicial de Manuel de Falla, en la que se barajan inconexamente tentativas de formato sinfónico y con páginas de factura más liviana que orillan el estilo zarzuelero —"Tus ojillos negros"— y en las mismas fechas en que asomaban en nuestro horizonte sus partituras con significación histórica, comparecen en la carta musical peninsular las obras de Joaquín Turina (1882), Conrado del Campo (1879), José María Usandizaga (1887), Jesús Guridi (Vitoria 1886) y Oscar Esplá (Alicante 1889), que permiten apostar sobre la continuidad de la tradición inaugurada por Pedrell, Albéniz y Granados. Los dos primeros definieron muy pronto sus puntos de vista estéticos, impregnado el de Turina de los hallazgos del impresionismo y orientado del Campo hacia el formalismo teutón y concretados en los dos compositores en sendos cuartetos de cuerda. También, en la brillante y fugaz carrera, de Usandizaga figura un "Cuarteto" de nobilísima factura, como capítulo inicial de su producción, al que siguieron las óperas "Mendi-Mendiyan" y "Las Golondrinas", que constituyen la más importante aportación española a la escena lírica contemporánea. La muerte de Usandizaga, acaecida en 1915, truncó el espléndido porvenir que se anunciaba a dicho compositor.

Pocos años sobrevivieron a Manuel de Falla, Joaquín Turina y Conrado del Campo. El primero, que en 1946 recibió las palmas académicas de la de San Fernando, falleció en 1949. Conrado del Campo en 1953.

Para ambos autores es valedera la afirmación de que no alcanzaron a penetrar ni a enterarse del tremendo viraje y cambio de orientación espiritual experimentada por la conciencia europea de los últimos años.

No es este el momento de entrar en apreciaciones valorativas de la obra de este gran músico español contemporáneo que es Joaquín Turina, pero sí conviene recordar que dicho maestro, con "La oración del Torero", "Danzas fantásticas" y la "Sinfonía sevillana", compuestas en época espiritualmente muy alejada de nosotros (1910-1920), si bien no asumió en la vida musical española una responsabilidad rectora, como la de Manuel de Falla, ha representado en unión de éste y de Oscar Esplá tan importantísimo papel en la escena sonora peninsular, que no se concibe la primera mitad del siglo actual, sin un importante encasillado reservado a dicho compositor.

Del mismo modo que (en plano estético muy distinto) la obra de Ricardo Strauss, posterior a 1920, se nutre esencialmente de los hallazgos contenidos en las obras que definieron su personalidad antes de aquella fecha ("Don Juan", "Travesuras de Till

Eulenspiegel", "Muerte y Transfiguración" y "Vida de Héroe"), puede asegurarse que el perfil estético y expresivo de Joaquín Turina, quedó definitivamente conformado en 1920, año en que están datadas la "Sinfonía sevillana", "Danzas Fantásticas" (el "Cuarteto" es de 1911) y que halla en "Canto a Sevilla" (1926) y en el "Poema a una Sanluqueña" su definitiva y total confirmación e inamovilidad.

La disciplina y severidad constructiva de la "Schola Cantorum" de París, donde estudió Turina y los adecuados toques impresionistas que, con pertinentes y dosificadas pinceladas de colorismo andaluz informan la generalidad de la obra de Turina, determinan que ésta discurra siempre sobre el trasfondo amable del paisaje sevillano y se asiente en el esquema espiritual apuntado, careciendo, en consecuencia, de la más elemental inquietud progresiva, elemento éste que dirige e informa constantemente la curva evolutiva del pensamiento de Manuel de Falla.

Con tales premisas y antecedentes, fácil es colegir que en el orto de su vida artística, Turina no modificaría las bases de su asegurada carrera. Después de aquellas fechas, con páginas como "Rapsodia para piano y orquesta", obra formularia y de receta, y "Las Musas", al ratificar el contenido estético que informa la generalidad de su obra, hace su postrera declaración de fe, coincidente con sus primeras afirmaciones.

En su testamento estético Turina legó una obra cuya factura, rayana al formulismo, vedaba toda posibilidad de ulterior desarrollo.

Con la muerte de Turina, se cierra oficialmente una etapa de la música española, o mejor aún, desapareció una faceta de tal expresión artística que hacía mucho tiempo llevaba una vida musicalmente somática.

* * *

En plano intencional muy distinto, pero en similar apreciación en lo que el ciclo evolutivo se refiere, encontramos la obra de Conrado del Campo, el compositor español que en los albores del presente siglo había determinado el carácter de orientación netamente germana de su menester creador y mantenida invariable dicho rumbo en el transcurso de su dilatada y fecunda vida de compositor.

De su postrera labor creadora, es decir, la llevada a término hasta su traspaso ocurrido en 1953, nos la noticia el Padre Federico Sopeña al decir que "su obra de compositor se acrecentó con aportaciones bien significativas: el "Poema para los caídos" —grave y bella oportunidad para un "*castellano heredero de Strauss*"— varios cuartetos; "La Fantasía castellana" para piano y orquesta, una de las obras más bellas y menos sobrecargadas: "En la pradera" en un estilo de ballet "elegíaco"; la Misa para el "Misterio de Elche", que si bien procede de años anteriores, tiene cada año su mejor coyuntura en la famosa fiesta" [1]. De tal mención no deducimos que el componente básico de la música de Conrado del Campo, experimentara en los últimos años de su existencia variaciones sensibles y que, por tanto, nada insólito aportó a su concienzudo y casi burocrático trabajo creador del que, a pesar de los cri-

[1] Federico Sopeña. "Historia de la música española contemporánea". Biblioteca del pensamiento actual, número 89. Madrid.

terios un tanto trasnochados que con frecuencia lo informaron, admiramos su gran corrección de escritura.

Si el traspaso de Manuel de Falla planteó el problema de su sucesión, no estética precisamente, sino de insobornable maestrazgo, problema no resuelto aún, las muertes de Joaquín Turina y de Conrado del Campo dejaron, definitivamente, concluso un capítulo importante de la música española de nuestros días, en el que, a pesar de su reiterativa e invariable fe estética, hallamos obras de positivo valor: "Las Danzas Fantásticas" y "Sinfonía Sevillana" de Turina y los "Cuartetos" de Conrado del Campo, así lo atestiguan.

CAPITULO II

Las últimas obras de Oscar Esplá y de Jesús Guridi

"La canción del Levante español es una creación personal de Oscar Esplá."

FLORENT SCHMITT.

La labor creadora de Oscar Esplá y de Jesús Guridi, a pesar de las sensibles diferencias en sus realizaciones concretas, se desarrolla en análoga latitud estética, pues mientras el primero elabora preferentemente en zona en que la temática popular levantina, ya en forma directa, ya deliberadamente diluida, asume un importante papel en su producción, las creaciones de Guridi se desenvuelven en el área de la expresión natural vasca; la obra de ambos compositores ha derivado en los tres últimos quinquenios hacia concepciones más abstractas, menos localistas diríamos, y en las que la melodía, el giro o la inflexión no están utilizados como elementos de color, sino como material puramente objetivo de elaboración.

La gran clase de compositor que es Oscar Esplá, quedó ampliamente acreditada antes de la guerra con obras de tanto alcance y de tan sólida y definitiva factura como "Sueño de Eros" (1914), "Cantos de Vendimia" (1919), "Don Quijote velando las armas" (1925), "El contrabandista", "La pájara pinta", y muy especialmente, con su poema "Nochebuena del diablo" (1923), que es una de las piezas fundamentales de la música española contemporánea.

La línea ascensional determinada por las obras citadas persiste y aumenta en las páginas ultimadas en los años posteriores a la muerte de Manuel de Falla. En ellas, merced a su calidad expresiva y técnica, Oscar Esplá se sitúa en posición única en el panorama sonoro de nuestros días. Ante todo, notemos que tal situación de privilegio no nace de la adopción de criterios o sistemas surgidos en el postrer minuto, antes al contrario. Precisamente, lo que determina y califica la grandeza intrínseca de un artista, en este caso de Oscar Esplá, es la fidelidad en servir a unos postulados espirituales cuya meditada evolución les otorga constante sentido actual avalando su licitud y, por tanto, su compatibilidad para coexistir y competir con los más opuestos extremismos estéticos. Notemos que el *activismo* de la actitud de Esplá está muy lejos del caso de Turina o de Conrado del Campo (o, si se quiere, de Ricardo Strauss), quienes, una vez hallada la fórmula de composición viable que más les convenía, al utilizarla hasta el agotamiento, hacen de ella un simple esquema, una receta muerta aplicada sin intentar desarrollar las posibilidades que toda fórmula aprisiona. No olvidemos que tales esquemas, aptos a lo sumo para unas vivencias artesanales, pero no para cimentar un concepto serio y fecundo del arte.

"Puede situarse a Esplá —ha escrito K. Willems— en el grupo formado por músicos como Bartok, Hindemith, Honegger, Martin, sitos en un recodo de la música tonal, que renuevan con sus personales aportaciones, oponiéndose a las tradiciones caducadas" [1].

Hasta el momento no se ha estudiado con la atención y detenimiento requerido este autor que tan amplia significación tiene, pues la abundante y trascendente producción de Oscar Esplá, gracias a una continua e inteligente labor de pulimento y estilización, desemboca en la perfección formal y en la concisión expresiva de su obra actual, que figura entre las más importantes de la música europea contemporánea.

Si en Manuel Falla son clásicas, por reiteradamente citadas, las fases que jalonan su carrera a la busca de la máxima concreción estilística de su obra, iniciada por el "naturalismo popular" de sus piezas para piano y las "Siete canciones", continuada por el período andaluz y consumada por la etapa castellana de "El Retablo" y "El Concierto", en Esplá, que debutó con obras como el poema sinfónico "El sueño de Eros" (1914) y "Sonata para violín y piano" (1916), la cantata escénica "Nochebuena del Diablo", señala una acusada línea divisoria, en su global producción, que deslinda un importante capítulo en su trayectoria espiritual. Pero (para seguir con la comprometedora comparación con el maestro gaditano), así como la acotada y breve creación de Falla, es causa de que cada una de sus obras constituya, a la vez que un hito, un único

[1] Karel Williams. "Un grand musiciѐn espagnol : Oscar Esplá".

ejemplar de cada período, en Esplá las partituras diríamos "esenciales" que marcan las épocas de su labor van acompañadas de una abundante producción, que sostiene la validez espiritual y estética de la página definidora del momento contemplado; así, con "Nochebuena del diablo" Esplá nos ofrece "Don Quijote velando las armas", con "El contrabandista" y "La Sonata del Sur" varias obras para piano y "Cuarteto n.º 2".

Por la limitación temporal asignada a los presentes comentarios sólo se examinará aquí aquel sector de su producción que, debido a su proximidad a nosotros, no ha sido considerada en anteriores publicaciones.

La obra que centra la producción de Oscar Esplá de estos últimos quinquenios es la "Sonata del Sur". En ella su autor nos muestra de una manera inequívoca la meta pretendida y alcanzada (hasta este instante al menos) en el proceso evolutivo de su cometido creador En la "Sonata del Sur" estamos totalmente inmersos en el reino de la abstracción, entendido este vocablo en un sentido y en un alcance de pura especulación musical, con unos temas en los que, el giro o inflexión nacional, pasa a segundo término, pues la abstracción invocada se asienta sobre un material sonoro que no busca el apoyo de la referencia local para crear una particular atmósfera, sino que, estructurada sobre unas células motívicas, inteligentemente tratadas, crean un particularísimo clima, del que trascienden en perfecta estilización los principios que informan su obra anterior. El régimen interno que articula las diversas partes de la "Sonata del Sur" es, en su aparente "formalidad", un sólido armazón, sobre el que se ha levantado una de las más importantes y serias obras de la música española de nuestros días y en la que el piano, que desempeña un importante papel, no siempre realiza la función de oponente al complejo orquestal, sino que ocasionalmente abandona su carácter concertante, para fundirse con la orquesta y enriquecerla de nuevas sonoridades.

En 1949, Oscar Esplá, con Honegger y Villalobos entre otros, concurre al homenaje a Chopín celebrado en memoria del gran compositor polaco con motivo de cumplirse el centenario de su muerte en el indicado año. Producto de tal concurrencia es "Sonata española". En esta página, Esplá, empleando una técnica pianística en la que deliberadamente se aproxima a la del gran romántico, no renuncia a su personalísimo estilo creador, latente en cada una de las tres partes de que se compone la obra.

* * *

Jesús Guridi, como Esplá, ha mantenido una posición independiente dentro de su encuadre nacionalista y ha dado tono trascendente a la música vasca de nuestros días, al incorporar su voz a la música peninsular de talla universal.

Sin haber formulado pronunciamiento estético determinado, de entrada, y ante el dominio de Guridi de la técnica de composición, notamos que nos hallamos ante un músico, en la acepción más cabal y pura del término. "Mirentxu" (1910), "Amaya" (1920), "El caserío" (1921), "La meiga" (1928) y otras partituras destinadas a la escena nos dan en cierto modo la medida de la dimensión artística que palpita en su obra, pues aunque las páginas mencionadas están adscritas al género lírico en su especialidad de zarzuela, por su contexto técnico y por su espíritu, trascienden y superan los límites de tal encuadre estético al conferirle una superior dignidad. Dichas obras no son propiamente zarzuelas porque la nobleza del material sonoro empleado, no encaja exactamente con la expresión primaria y ligera propia de dicho género y además, porque la seriedad y perfección del trato instrumental de aquellas páginas es más propia de otras latitudes escénicas, que de las definitoras del género chico, el cual no se distingue precisamente (salvo excepción) por sus esmeradas orquestaciones.

Se ha considerado conveniente traer a colación estos antecedentes por estimar que ilustran de forma inmediata acerca de los principios que informan el estilo de Jesús Guridi como compositor, ya que dichas notas son como una "constante", presente en cada una de sus creaciones. La seriedad conceptual de la producción de Guridi, la perfecta articulación de sus construcciones, la justa y adecuada densidad de su orquestación en función de la idea expresada, y en suma, la dignidad del material sonoro empleado en todas sus obras, son factores, que en grado variable encontramos en las piezas que integran su labor pretérita ("El caserío", "La meiga", "La cautiva ", etc.) y, desde luego, las hallamos también en las que forman la última etapa de su producción que es la que ahora nos interesa examinar.

El punto de partida de esta postrera fase de su obra lo tenemos en "Diez melodías vascas" (1941), sigue con el "Cuarteto" del año 1946 y diversas páginas sinfónicas entre las que citamos "Sinfonía Pirenaica" (1945) para culminar con su "Fantasía para piano y orquesta" titulada "Homenaje a Walt Disney" que mereció el premio Oscar Esplá del Ayuntamiento de Alicante del año 1956.

En conjunto, el balance de la más reciente experiencia musical de Guridi, arroja un saldo positivo, similar al apuntado al tratar de la obra de Oscar Esplá. El sentido último que estéticamente ofrece su obra no ha variado sustancialmente del que encontramos en su producción pasada, si bien debemos reconocer que incorpora a su lenguaje procedimientos instrumentales de singular novedad, siempre dentro del cauce por el que transcurre su obra y nunca en plan de especulación espiritual indicador de un posible cambio de panorama estético.

Esta utilización de procedimientos nuevos (nótese que no se habla de *novedades* que, por otra parte, no parece pretender alcanzar), es particularmente sensible en el "Homenaje a Walt Disney", posiblemente la más lograda de sus obras de esta época. En "Homenaje a Walt Disney" Guridi nos muestra una nueva cara de su personalidad. Sin renunciar a las premisas informadoras de su obra anterior, se acerca a una zona estética, cuyo discurrir musical se ofrece fuertemente influenciado por los "gags" propios de las películas de dibujos animados. En consecuencia, abundan en la obra pasajes de un descriptivismo conscientemente pueril y primario, cosa, por otra parte, lógica, atendido el destino propio y el público de las realizaciones de Walt Disney, a quien está dedicada la obra. Dicho descriptivismo, un tanto liviano, del que está impregnado la temática del "Homenaje", tiene su compensación por el acertado e inteligente trato a que está sometida la partitura, en cuyo trato no está lejos un pertinente matiz irónico con el que su autor nos dice de una manera clara el alcance y sentido que otorga a su intención descriptiva.

El "Cuarteto núm. 2 en la" (Premio Nacional de Música 1949) es una de las mejores piezas escritas para instrumentos de arco de la música española contemporánea. Planeado y realizado con sujeción a la horma tradicional, cautiva por la naturalidad de sus ideas y que desgravan —vivificándola— la vinculación formal de su proceso evolutivo, que es de una total claridad expositiva.

Es lógico que la reciente etapa de la labor de Guridi presente los trazos con que hemos intentado delimitarla y no se haya inscrito en posiciones espirituales más avanzadas. No puede pretenderse que a última hora un compositor como Guridi, cuya obra está afiliada a una tesis espiritual bien trazada y consolidada dentro de una línea conservadora y gran dignidad de factura, cambie su rumbo estético. Jesús Guridi murió en abril de 1961. Hasta su postrer momento, su producción se distinguió por su seriedad conceptual y su total perfección, dentro del criterio estético apuntado.

CAPITULO III

Variantes expresivas de esta generación

De la misma promoción de Guridi y Esplá son el P. José Antonio de Donostia (1886-1956), P. Nemesio Otaño (1880-1956), Julio Gómez (1886), Eduardo López Chávarri (1875), Juan Manén (1883), Angel Barrios (1882) y Jaime Pahissa (1880), quienes mantienen unas actitudes expresivas muy diversas en el plano de la creación sonora, llevando a cabo muchos de ellos una variada e importante labor en otras disciplinas musicales, además de la composición.

En la moderna investigación musical española la figura del Padre José Antonio, de San Sebastián, ocupa un lugar preferente. Su labor en el campo de la musicología contribuyó en forma decisiva a salvar un inmenso caudal de melodías populares, que, de faltar su tesón en el acopio de datos y su claro criterio ordenador se hubiesen irremisiblemente perdido. Sus trabajos en esta zona no se concretaron al estudio y selección de los múltiples elementos que integran el folklore musical de un país (en este caso Vascongadas y la península Ibérica en general), sino que se extendió a otras muchas ramas de la manifestación popular. Son notables sus estudios "Flora y fauna en la canción popular vasca" [1], "Notas breves sobre el acento en la canción popular castellana" [2] y "El *Motu propio* y la canción popular religiosa" [3].

En el área de la creación sonora, que es la que fundamentalmente nos interesa ahora, el Padre Donostia causó sensación en los medios musicales españoles de comienzos de siglo, con sus cinco cuadernos de "Preludios vascos", de corte schumanniano unos, teñidos otros de colores impresionistas, por cuanto constituyen el primer logro en el intento de hacer en España música razonadamente europea y enraizada con la tradición de su país, pues en aquellos instantes (debemos situarnos entre 1905 y 1910) el genio de Falla estaba en su adolescencia espiritual, los de Albéniz y Granados en el apogeo de su brillantez nacionalista y el de Pedrell inmerso en la solitaria grandeza de su elucubración wagneriana. Por ello, conviene destacar la importancia de los "Preludios vascos", obra intimista y lírica en un medio dominado por la fiebre nacionalista y el wagnerismo.

Con los "Preludios", da en las mismas fechas un "Cuarteto" que, al igual que en la página de similar factura del malogrado Usandizaga, se intenta eludir la rigidez formal impuesta por la concepción beethoveniana a dicho conjunto instrumental.

El Padre Donostia, hacia 1920, se traslada a Pa-

---

1 Porter. Ed. Barcelona, 1953.
2 Monasterio de Montserrat, 1945.
3 S. Sebastián, 1955.

rís. Conoce a Ravel y recibe los consejos de Albert Roussel. Trabajó con Gehón en la dignificación del Teatro Católico Francés, naciendo de tal relación las ilustraciones musicales de las obras "Les trois miracles de Sainte Cécile", "Le Nöel de Greccio" y "La vie profonde de St. François d'Assise". De esta misma época es su "Cuarteto para ondas Martenot", probablemente la primera obra escrita por un compositor español para instrumentos electrónicos.

En 1937 da su importante "Poema de la Pasión" para coro a ocho voces, solistas y corno inglés, sobre texto de un autor anónimo español del siglo XVIII, página que centra la actitud del Padre Donostia en la cuestión de lo que debe ser la expresividad religiosa en música por el equilibrio obtenido entre la intención y los medios para lograr un máximo rendimiento.

La producción del Padre Donostia a partir de 1945 se concreta principalmente en "Canciones sefardíes", "Tiento y Canción", "Infantiles a cuatro manos" y muy especialmente en "Misa de Requiem" para coro, órgano y orquesta, y muchas obras corales o para órgano en las que su penetrante y amplio sentido expresivo abarca contenidos espirituales de tan diverso significado como son la profunda religiosidad de sus obras con destino al servicio litúrgico, a la desenfadada inspiración goliardesca de su "Venerabilis barba capucinorum" (1949) para coro a cuatro voces.

"Canciones sefardíes" se apoyan sobre un trabajo pianístico de primer orden que subraya adecuadamente el sentido íntimo aprisionado en cada una de las cinco canciones, de las que respeta íntegramente la letra y la melodía original.

En "Infantiles" —a cuatro manos— utiliza algunos temas populares, manipulados con una técnica similar a la seguida por Bela Bartok en su trato con la música natural de su país y que, al igual que un importante sector de la obra del maestro húngaro, está destinada al fin pedagógico de facilitar al principiante, los pasos introductorios en el estudio y comprensión de la música contemporánea.

Menos interés ofrece "Tiento y canción" para piano que representa una pequeña regresión a la estética impresionista. Poco antes de su muerte, acaecida a finales de agosto de 1956, puso punto final a su "Misa de Requiem", que constituye una trascendente contribución a la tarea de renovar la música religiosa peninsular.

Si al iniciar las presentes consideraciones en torno a la figura del Padre Donostia hemos pasado adrede a término preferente su importante labor de musicólogo, agregamos ahora que, producto de la conjunción de este aspecto de su personalidad y de su experiencia de compositor son las interesantes "realizaciones", obras de autores españoles del siglo XVIII, olvidados o desconocidos, cuya exhumación y puesta al día es debida a su penetrante intuición. Así contamos hoy con unas obras como las "Sonatas" del vallisoletano Nebra, de Fr. Manuel de Sostoa, del catalán F. Manalt (con quien entró en nuestro país la enseñanza de la escuela violinística italiana que en aquella centuria alcanzó con Tartini su máximo nivel técnico), y de la "Sonata da Chiesa", en mi, de T. Albinoni.

También vasco y con similares actividades, el Padre Nemesio Otaño (1880-1956) se distinguió por su fina y penetrante labor como musicólogo. De su obra como compositor conocemos de los años anteriores a la guerra civil unas variaciones en forma de vals sobre las notas "mi-sol", de un estilo ligero y frívolo. Su producción editada posterior a aquellos acontecimientos se concreta en diversos "motetes" y otras páginas corales destinadas al culto, todas ellas de signo tradicional.

José María Beobide (1882, Zumaya) es notable como autor de música religiosa de similar signo al asignado a la obra del P. Nemesio Otaño.

Angel Barrios (1882), andaluz, de Granada, con un historial sonoro contaminado de tópicos locales ("Zambra en el Albaicín", "Danza gitana", para orquesta) presentó en los últimos años en el Liceo de Barcelona un producto musical cuyo título, "La Lola se va a los puertos", es indicativo de lo limitado de su pretensión estética. En esta partitura las concomitancias con el género que conocemos como ópera, se reducen a su cometido escénico, por cuanto el musical tiene más contacto con la zarzuela que con el drama lírico propiamente dicho.

Jaime Pahissa y Juan Manén son los compositores que representan a Cataluña en el frente musical que comentamos. El primero de ellos, alejado desde 1938 de la inmanencia de los problemas de la creación sonora peninsular, ha realizado desde su residencia en la República Argentina una positiva labor encaminada al conocimiento y difusión de la música española a través de una serie de publicaciones de no escaso mérito al menos por su cometido informador. Su amistad y contactos con Manuel de Falla nos han proporcionado unas noticias de primera mano acerca de los años finales de la vida de nuestro compositor más representativo.

Como creador carecemos de datos directos acerca del sentido o derivaciones que en estos últimos tiempos puede haber adoptado su sistema del régimen "intertonal", afirmado en el tercer decenio del siglo con "Suite intertonal" y "Monodia". De todas formas, a través de la prensa bonaerense tenemos noticia de su infatigable labor, que comprende tanto su cometido de compositor como la emprendida como profesor y director de orquesta.

La fama y calidad de Juan Manén como violinista ahogó en su día la consideración que merecía su trabajo de compositor. En este sector, sus obras "Nova Catalonia" y "Concierto de Cámara" para violín y orquesta denunciaron de forma indudable la ascendencia straussiana de su producción.

Manén ha sometido en estos últimos años a la consideración pública una ópera, "Soledad" (1952), y diversas obras de carácter instrumental o de cámara, entre las que destacamos su "Fantasía-Sonata" para guitarra, dedicada a Andrés Segovia. En ellas no se acusa cambio de orientación sensible en relación su obra pretérita que en general se desenvuelve bajo los auspicios técnicos y estéticos del post-romanticismo teutón. Ultimamente, ha dado el ballet "Rosario la Tirana" y "Elogio del Fandango", en el que encontramos elementos estilísticos y ritmos tópicos de un falso españolismo engarzados por una inteligente orquestación, y "Medea", para recitante y orquesta, de excelente factura y de gran calidad expresiva.

Eduardo López Chávarri (1875), quien con "Acuarelas Valencianas" para orquesta, de evidente estirpe impresionista, causa gran sensación en el momento de su aparición y cuya obra se escucha hoy día con gusto, no ha presentado últimamente páginas dignas de especial atención en el ámbito de la creación. "El viejo castillo moro" para piano es una pieza formularia que denota muy a las claras su procedencia, nacida de los especiales giros que Albéniz dotó al instrumento.

Simultáneamente a las tareas propias de la composición ha realizado importantes tareas de investigación musical. En tal sentido merecen notarse sus trabajos sobre la música popular hispana y su historia de la música publicada en 1914.

El "Cuarteto plateresco" (1948), es la página que mejor representa la obra que Julio Gómez (1886) ha realizado después de la guerra en el área de la creación. Compuesto con arreglo a los cánones tradicionales, es una obra de positivo interés por la calidad de su factura.

El Sur de la zona de Levante español ha aportado al acervo musical contemporáneo español, una personalidad de tanto prestigio como es la de Bartolomé Pérez Casas (Lorca 1873-1956), cuyas actividades musicales se desarrollaron preferentemente en el departamento de la dirección orquestal. Su experiencia como compositor queda principalmente circunscrita a su edad temprana y en ella es sensible, junto con la huella orquestal de la escuela rusa, un matiz regionalista, basado principalmente en el desarrollo rapsódico de melodías y coplas populares del reino de Murcia. "Suite española", subtitulada "A mi tierra" y "Suite Murciana", son partituras que responden a este tipo de obra en la que el folklore asume el rol de protagonista, sin otorgarle especial profundidad o perspectiva en su realización.

Notemos que si Bartolomé Pérez Casas, en los años finales de su vida (que corresponden en parte con los que son objeto de este estudio) desempeñó escaso papel como creador en la palestra musical de España, su personalidad adquirió, en cambio, un relieve extraordinario como director, al punto que a su actividad y competencia se debe en gran parte el auge e importancia de las orquestas madrileñas y muy en especial de la Orquesta Nacional que tuvo en manos de Pérez Casas su primer elemento cohesionador.

TERCERA PARTE

LA «GENERACION DE LA REPUBLICA»

CAPITULO I

Pronunciamientos de la generación de la República (Grupo central)

En contadas ocasiones, los múltiples valores que estructuran y definen los pronunciamientos fundamentales de cada generación surgen simultáneamente en el instante de su inicial eclosión. Es preciso atender y observar el proceso de sus sucesivas afirmaciones para determinar la jerarquía valorativa de los distintos ingredientes expresivos que la integran. Así, en España, mientras los componentes del frente literario llamado de la "Generación del 98" comparecieron como un bloque compacto que al dotar de un común sentido y concepto intencional a sus realizaciones configuraron inmediatamente el perfil de nuestra cultura en el indicado aspecto, los restantes sectores de la expresión espiritual (musical y plástico), los "relativos" a aquella generación, o comparecieron rezagados en relación con el manifiesto literario o, en el caso de desarrollarse simultáneamente con éste, su cometido no se concretó en un cuerpo estético unitario, sino a lo sumo, en un interesante conglomerado de individualidades.

En música, Manuel de Falla, Joaquín Turina y Conrado del Campo, entre otros, acreditaron que habían aprehendido la lección de Pedrell, Albéniz y Granados, pero al sentar las bases de la futura música española, no lo hicieron como grupo ni con un manifiesto común, como los miembros del "98" en la zona de las letras.

De aceptar como cierta la tesis sostenida por Paul Ligeti [1] de que, en las civilizaciones en general y en las culturas occidentales en particular, la manifestación musical cristaliza con sensible retraso en relación con la literaria o plástica, que son las primeras que intervienen en la definición de una cultura, concluiríamos que en escala (temporal y espacial) muy reducida, el proceso anunciado se repitió en el renacer espiritual español del presente siglo.

La irrupción de un frente compacto como el constituido por la "Generación del 98" esencialmente literario, cuya génesis y pronunciamientos han sido magistralmente estudiados por Pedro Laín Entralgo [2], no tuvo equivalente en los otros sectores de la vida artística. Los nombres de Felipe Pedrell, Manuel de Falla, Joaquín Turina, Conrado del Campo en música constituyen, a lo sumo, y conforme a lo dicho, un interesante conjunto de individualidades, pero que nunca merecerán la consideración de frente articulado como el que la famosísima generación ofrece, pues representan en el país en aquel instan-

---

[1] Paul Ligeti, "Der Weg aus dem Chaos". Munich, 1931.

[1] Pedro Laín Entralgo, "La generación del noventa y ocho", núm. 784. Col. Austral. Espasa-Calpe.

te cuatro posturas respectivamente, sustancialmente distintas: wagnerismo, nacionalismo, impresionismo y germanismo. Lo propio ocurre en pintura, en la que los nombres de Ignacio Zuloaga, Gutiérrez Solana, Vázquez Díaz o Pablo Ruiz Picasso (para nombrar solamente los epígonos del componente pictórico relativo de aquella generación) ofrecen igualmente una inconexa agrupación de recias individualidades sin afinidad estética apreciable.

Interesaba hacer este inciso relativo a las vinculaciones entre los componentes expresivos de aquella generación y a la ausencia de sincronización ideológica y temporal entre sus cuerpos culturales, por el contraste que ofrece con el frente espiritual que le sucedió y con el que convivió. Los distintos órdenes de actividades de esta nueva promoción no sólo comparecieron simultáneamente, sino que además (aceptadas de antemano las diferencias del "medio expresivo") lo hicieron con criterios comunes o similares. La intelectualidad española que militó en las filas de esta avanzada formó por primera vez un cuerpo cultural cohesionado en sus criterios estéticos y orgánicos en sus relaciones mutuas.

Hasta el decenio 1920-1930 no se estructura en la vida musical peninsular una nueva compañía con méritos suficientes para merecer apelativo de "generación". La suma de personalidades que en el expresado lapso hacen aparición cristalizan en vísperas de la caída de la Monarquía en un grupo en el que las diferencias temperamentales y, en consecuencia, estéticas, pasan a segundo plano ante la consideración de que sus componentes tienen conciencia de estar alineados en las comunes divisas de conferir continuidad a la intuición genial de la experiencia falliana que en aquellos instantes (recordemos que las fechas inicial y final del quinquenio 1923-1928 señalan respectivamente dos pilares de la obra de Falla : "El Retablo" y "El Concierto") alcanzaba su más elevado grado de perfección estilista y espiritual, y de dar sentido y carácter a sus nuevas realizaciones que, heredadas y continuadoras de aquellas geniales afirmaciones, ensancharan las posibilidades espirituales que contiene.

La panorámica de treinta años que media entre aquellas fechas y las actuales autoriza para afirmar que si bien de las filas de esta trascendente "división musical" no salió figura de talla y de dimensión espiritual como la del autor de "El Retablo", lo que verdaderamente importa de esta promoción radica en el hecho de que por primera vez en la vida musical española, comparece un grupo en el que, con independencia del particular enfoque estético de cada uno de sus miembros, existe una identidad de objetivo apoyado en la conciencia espiritual de estar integrado en la brillante afirmación de las intelectualidad española de aquellas fechas, que alineaba en literatura a personalidades tan distinguidas como Dámaso Alonso, Vicente Alexandre, Pedro Salinas, Rafael Alberti, Federico García Lorca y Manuel Altolaguirre, entre otros, quienes confieren insospechada proyección a las enseñanzas de la "generación del 98", la cual, por su lado, en el momento considerado está a punto de madurez y sazón. Tan esplendorosa lista de personalidades tiene su equivalente sonoro, en las realizaciones de Ernesto y Rodolfo Halffter, Enrique Casal-Chapí, Salvador Bacarisse, Gustavo Durán, Fernando Remacha, Gustavo Pittaluga, Julián Bautista, Adolfo Salazar y Joaquín Rodrigo, quienes en aquellos momentos habían hecho sus primeras afirmaciones en la escena musical y podían anunciarse como los futuros continuadores de la labor de Falla, de Turina o de Esplá, cuyos valores estéticos y técnicos estaban en las propias fechas totalmente consolidados.

En el momento contemplado, se fraguó en el sector plástico un movimiento que tomó cuerpo en torno a las figuras de Salvador Dalí, Juan Miró, Rafael Zabaleta y Benjamín Palencia, que representan el equivalente pictórico de los postulados afirmados en el área literaria y musical. ¿Será preciso recordar que las obras destinadas al baile de los compositores enumerados tuvieron por intérpretes a Antonia Mercé "La Argentina" y Vicente Escudero para tener conciencia de que nada faltaba en tan completa avanzada?

Anotemos que en Levante la promoción coetánea a la esbozada toma cuerpo en las figuras de Manuel Palau, Rafael Rodríguez Albert y Vicente Asensio principalmente, mientras que en Cataluña y Baleares la tradición, iniciada con regularidad por el grupo orfeonista, se concreta después en los nombres de Manuel Blancafort, Federico Mompou, Eduardo Toldrá y Roberto Gerhard, y de los mallorquines Baltasar Samper y el P. Juan María Thomas. En el norte, el representante más calificado de la promoción anunciada es, con Jesús Arámbarri, Pablo Sorozábal, cuya influencia más notable se hace sentir en las variantes del género lírico y muy en especial en la zarzuela. Todos ellos los encontraremos más adelante en el intento de señalar los rasgos más característicos de sus postreras producciones.

Antes de adentrarnos en el detalle de las personalidades de esta promoción, convenía determinar su posición y rango, en la evolución cultural española de los últimos años, pero, además, es necesario señalar qué principios informan los primeros pronunciamientos de las distintas expresiones de esta generación y qué vocabulario ideológico ha informado sustancialmente sus obras fundamentales.

Es nota general presente en los componentes de la "Generación del 98", según ha hecho resaltar Laín Entralgo [1], su amor a España, su afecto entrañable por una Patria vencida, desmoralizada, desvalida y acabada, que había perdido el rumbo de su historia, y con él su fe y la noción de su destino. Ahonda tan distinguido maestro hasta las raíces más profundas de tan desalentado amor y analiza el cúmulo de circunstancias que, a manera de invisible, pero presente urdimbre, ligan y otorgan sentido unitario a la variedad de figuras integrantes de dicha generación. A tal efecto, estudia y perfila aquello que de común, dentro de la diversidad, tienen de la historia, del paisaje o de la patria, Miguel de Unamuno, Azorín, Ramón del Valle-Inclán, Pío Baroja, Ramiro de Maeztu y Angel Ganivet.

El signo que define y orienta las producciones de los miembros del equipo intelectual sucesor y continuador de las experiencias descritas tiene también como objetivo principal la estima y el realce de los valores raciales, pero no entendidos como problema, sino como entidad cultural independiente necesitada de desarrollo. En términos generales, los componentes de la nueva generación no sienten el amor desgagarrado por la España que fue y que se perdió, y en su contemplación no tiene cabida ni el examen del pasado, ni el de la tristísima situación social, política y económica en que paró la historia española. Toda esta materia, tal vez por constituir un importante

---

[1] Obra citada.

porcentaje del mundo inmediato en que nació la del "98" no aparece en la promoción siguiente, la cual presta particular atención a la actualidad circundante, al contacto inmanente del pueblo, que con sus gracias, a la vez que con sus negros problemas, al mantener la vigencia de múltiples valores espirituales artísticos constituye un auténtico y vivo sustrato de la corriente cultural hispana que suministra una renovada materia de inspiración. Este cambio de enfoque, o mejor, los nuevos objetivos o temas propios de las creaciones de la generación literaria llamada por José Luis Cano del "27" [1], ocasionan una mutación en el sentido y contenido otorgado a su consideración del país. Mientras el afecto o amor de Unamuno y sus compañeros se dirige a la patria de su presente, en función de su pasado, que se traduce en una obra de amargo desengañado excepticismo en cuanto a su porvenir cultural (que afortunadamente las propias obras de aquellos autores se encargaron de desmentir), en los componentes de la generación de Federico García Lorca, la materialidad y la "presencia" del pueblo de donde arrancan buena parte de sus producciones, les infunde una nueva fe provinente del trato directo con un cuerpo vivo tan interesante, complejo y variado en sus manifestaciones culturales como es el pueblo español.

Los miembros de la generación que contemplamos creen en el resurgir espiritual español, porque no sólo se apoyan en la brillante floración de los maestros anteriores (Unamuno, Baroja, Valle-Inclán, Machado) en letras, y en Manuel de Falla, Turina, Esplá, en música, sino porque sienten que son por-

---

[1] José Luis Cano, "Poesía española del siglo xx". Ed. Guadarrama. Madrid, 1960.

tadores de un nuevo aliento y de nuevos valores a nuestra espiritualidad con la consecuente sensación de continuidad, imprescindible para la perdurabilidad de una cultura. Este amor creyente y el hallazgo del pueblo como factor cultural (veremos seguidamente con qué matices), son las notas que mejor definen la obra del equipo del año 27 que en el sector musical es comúnmente conocido como "Generación de la República".

Verdad es que Manuel de Falla había encontrado el pueblo en los inicios de su carrera y que la casi totalidad de su obra está bastida con material popular, al que somete a diversos grados de manipulación, pero este ejemplo de la zona musical no halló equivalente en los compañeros de generación que le acompañaron en el área literaria, pues Azorín, Unamuno, Baroja o Maeztu, si por acaso trataron al pueblo lo hicieron "desde fuera" o "a la distancia", es decir no partiendo de su consideración de célula viviente (con la excepción de Antonio Machado y J. R. Jiménez).

De este organismo —el pueblo— que en España ha mantenido incontaminados e intactos sus principios culturales, se nutre gran parte de la obra de Federico García Lorca, tanto en su esfera poética ("Romancero gitano", "Poema del cante jondo", etc.) como en su ámbito escénico en el que, sus personajes, o son gente del pueblo ("Yerma", "Bodas de sangre") o es de raíz popular su intención y montaje técnico ("El Retablo de Don Perlimplin") o tiene a la mentalidad de todo un pueblo como protagonista ("La casa de Bernarda Alba").

Desde luego, el ejemplo de García Lorca, por la inmediata evidencia de su aludida ascendencia, ha pasado a primer término en estas consideraciones, pero la presencia de dicho espíritu, lo hallamos igualmente en la mayoría de las figuras de la generación que comentamos (Rafael Alberti y Altolaguirre principalmente), en quienes por intelectualizada que sea su expresión vibra en ella, entre líneas, el alma popular.

Análogos pero no idénticos criterios aparecen en el sector musical en las obras de los dos Halffter, Bacarisse, Casal-Chapí, o Pittaluga, a consecuencia de una especial actitud que si bien está influida por el precedente falliano, adopta un giro y unas características especiales.

Si examinamos en sus trazos generales las producciones de los compositores mencionados, notaremos que una característica afín, une sus particulares experiencias, característica centrada en el singular trato de la temática popular en la mayoría de sus obras, lo cual no comporta ni significa que el hálito "natural" invocado, nazca de un acercamiento material con el pueblo como en el caso de García Lorca. El pueblo, en los expresados compositores, es un "ente" abstracto cuyas inflexiones melódicas pueden constituir materia utilizable para la creación musical culta. En dichos autores, no encontramos el cordial contacto de un Manuel de Falla que incluso en sus más descarnadas creaciones ("Concierto"), la brisa popular le salva de la mera especulación sonora. En la promoción que examinamos, el tema popular es también protagonista de la obra, pero su original latido se nos muestra con frecuencia filtrado por un tamiz de intelectualidad, lo cual, a la par que confiere a la partitura una mayor objetividad y pureza, le resta vida. Dichos compositores, para resumir su actitud con una frase política prestada del despotismo ilustrado, hacen música de "el pueblo pero sin pueblo". La melodía o giros utilizados o las cadencias que emplean, responden a un sentido popular, ya por sus modalidades, ya por sus ritmos, o aires, pero en ellos no vibra el pueblo. La textura de la obra, nos informa acerca del origen y procedencia de sus células motívicas, pero éstas, al estar desconectadas de su fuente primaria, si bien conservan parte de su color, pierden un importante porcentaje de su frescura y perfume primitivo. Buena parte de la obra de Halffter, Pittaluga, Bacarisse y otros, confirman las anteriores aseveraciones.

En otro aspecto — el formal— también esta generación presenta unos rasgos singulares. Obras como "Sinfonietta" de Halffter, que es el primer tanteo serio de este autor en su carrera, nos ilustra inmeditamente acerca de los principios que en el indicado aspecto ofrece esta generación, ratificado después por "Sonatina" del propio compositor. El diminutivo usado en la titulación de dichas obras, parece indicar, a la vez que cierto recato en lo que a su importancia se refiere, un punto de escepticismo respecto a la posibilidad vivificadora de las dos grandes "formas" del clasicismo y del romanticismo manifiesto en la incisiva ironía con que su autor trata y desarrolla los motivos centrales de dichas partituras. Se ha destacado adrede este aspecto formal e intencional, por cuanto, a pesar del matiz irónico, se nota en esta promoción una evidente simpatía por las formas tradicionales, especialmente del concierto. Un repaso a la obra global de Bacarisse, Pittaluga o Rodrigo así lo confirman. Observamos que la obra perenne de Albeniz es de corte totalmente original ; que las partituras que han sobrevivido de la producción de Granados, son precisamente las que formalmente no están encuadradas en los patrones tradicionales ;

que si bien en el índice de Joaquín Turina aparece una sinfonía y diversas obras de cámara, lo más sobresaliente de sus creaciones, no tiene una concreción formal definida ("Poema de una Sanluqueña", "Canto a Sevilla", "Danzas Fantásticas"); que ni una de las partituras de Manuel de Falla se ajusta a la falsilla clásica y que el "Concierto", a pesar de su denominación obedece a unos criterios instrumentales y estructurales "sui generis". Finalmente y para no citar más ejemplos notemos que no es precisamente la nota de "formalidad" la que define en general la obra de Oscar Esplá.

Frente a este "informalismo" que en general ofrece la obra de los compositores que iniciaron y definieron el renacer español en su sector musical los componentes de la "generación de la República", especialmente los del grupo madrileño sienten particular apego y afección por las estructuras forjadas en los siglos XVIII y XIX. Es cierto que en el catálogo general de estos autores no escasean las obras sin patrón oficial, pero tal excepción contribuye a destacar más aquellas páginas concebidas bajo criterios formalistas. Apuntamos que en la obra de Rodrigo aparecen cinco o seis composiciones arquitecturadas bajo la fórmula del concierto; que Fernando Remacha tiene entre otras obras un "Cuarteto para piano" (1933) un "Cuarteto de cuerda" (1936); que Ernesto Halffter además de la "Sinfonietta" cuenta con una "Sonata para piano" (1932) y "Rapsodia portuguesa para piano y orquesta"; que Salvador Bacarisse ha compuesto recientemente su cuarto concierto para piano y orquesta, además de una abundante producción de cámara. Lo mismo podríamos decir de buena parte de la obra de Julián Bautista y de la producción guitarrística de Moreno Torroba.

Resumiendo: si espiritualmente un importante porcentaje de la obra de estos compositores es de extracción popular; si el tono que dicha generación confirió a tal espíritu está desprovisto de su primitivo aroma, y si su expresión toma cuerpo en unas realizaciones cuyo componente formal es una réplica actual de las fórmulas tradicionales, ¿qué nos indica la actitud espiritual de este equipo? ¿Cuál ha sido el provecho de su posición creacional? y, finalmente, de su postura frente al problema creador, ¿qué enseñanzas se derivan?

Una nota común parece determinar y definir la confiada generación que heredó por línea directa el caudal relicto de las experiencias fallianas: es que en conjunto, es un grupo más esteticista que innovador. Una general falta de inquietud en continuar y desarrollar la experiencia de Manuel de Falla, provocada por el cómodo asentamiento en unos principios que al no evolucionar perdieron la vitalidad de su primitivo aliento, esto es, lo que en términos generales nos da la pauta de esta generación. Conste que con ello no se pretende significar, ni que los miembros de este grupo, carezcan de calidades que impidan la calificación de excelentes artistas a sus componentes, ni que falte un principio afirmativo en su manifiesto estético, pues la intentona que acabamos de hacer de perfilar el cuño de su mensaje, se encargaría de inmediato de desmentir tal supuesto, pero si estimamos que puede admitirse en líneas generales que el bloque que pretendemos enjuiciar es, en esencia, de carácter "conservador", acepción en la que no tiene cabida (y no lleva por tanto aparejada) el vituperio de retrógrado o reaccionario. Cuantos militaron en la divisa de este grupo, creyeron de buena fe, pero un tanto a la ligera, que sus creaciones y logros obedecían a los postulados de la "modernidad" entonces vigentes y no a la efímera moda que en aquellos instantes imperaba, lo cual es en última instancia y en muchos aspectos lo que realmente ocurrió. Hoy, al escuchar obras como "Sinfonietta" de Halffter, las canciones de Bacarisse o Pittaluga de aquella hora, notamos que el compositor está más atento a infundir gracia y desenfado en el juego de componer, que de otorgar sentido de continuidad a la tradición musical iniciada y simplemente esbozada, en suma, a una breve tradición que avalaba la nueva presencia de España en la comunidad musical europea contemporánea. "Por esto, tantas obras de la época, se quedan en el *pastiche,* en la simple alusión o en la leve pirueta ingeniosa", para decirlo con precisa y ajustada frase de Fernando Ruiz Coca [1].

---

[1] F. Ruiz Coca, núm. 233 de "La Estafeta literaria". Madrid, 15 de enero de 1962.

CAPITULO II

La obra actual de los componentes de la generación de la República: el Grupo de Madrid

Vistos, a grandes rasgos, los pronunciamientos estéticos que presenta dicha generación y considerados los principales puntos de cimentación en que se asientan sus realizaciones, llega el instante de desmenuzar y entrar en el detalle del cariz, que la inalienable personalidad de cada compositor ha conferido al común manifiesto del grupo. Nuevamente hacemos hincapié en señalar, que si bien la materia de las presentes consideraciones es básicamente la música de los compositores españoles aparecida después de la defunción de Manuel de Falla, con frecuencia nos referiremos en este examen a obras aparecidas con anterioridad a aquel momento especialmente cuando su "antecedente valorativo" pueda servir de dato que ilustre acerca de determinados aspectos de la obra más actual y colabore a una mayor comprensión de la misma.

De la generación que examinamos (la de la "Dictadura", según A. Salazar o de la "República", según el P. Sopeña, que de ambas formas puede denominarse según se atienda a los días en que aparecieron sus primeras manifestaciones o al instante en que la suma de intenciones individuales cristalizaron en la voluntad del manifiesto común de la generación), la personalidad de Joaquín Rodrigo se ha erigido y mantenido durante muchos años, a partir de la Guerra Civil, en la voz dominante de la música española. El primordial factor y elemento determinante de tal preeminencia nace de la calidad de su "Concierto para guitarra y orquesta" (1940), titulado "Concierto de Aranjuez", pieza que constituye uno de los más importante aciertos de la música española de nuestros días y cuya fórmula ha dado frutos abundantes en otras latitudes (Castellnuovo-Tedesco, Villalobos, Manuel Ponce, Mauricio Ohana) y en la Península (Javier Alfonso, Manuel Palau, Moreno Torroba, Bacarisse).

Los factores secundarios causantes de tal especial realce, giran en torno al momento de España de aquellos instantes, que motivó el eclipse momentáneo por destierro o exilio de muchas figuras con quienes militó (Fernando Remacha, Gustavo Pittaluga, Ernesto y Rodolfo Halffter, Adolfo Salazar, Enrique Casal-Chapí, y Salvador Bacarisse, especialmente).

"Homenaje a la Tempranica" y "Concierto de Aranjuez", páginas a las que siguieron "Concierto Heroico" para piano y "Concierto de Estío" para violín son las obras que marcan las primeras posiciones estéticas conquistadas por Rodrigo en la etapa de su producción que se inicia recién liquidadas las diferencias peninsulares.

Después de un período de tres años (1936-1939) de suspensión de toda actividad creadora sustancial, la aparición de una partitura como "Concierto de Aranjuez" causó tal sensación en los medios musicales del país que se asignó a la hechura e intención de dicha página la misión de servir de engarce entre el pasado y el inmediato porvenir, porque el "Concierto de Aranjuez" además de los valores sustanciales que contiene aportó un nuevo aroma a la música española encuadrado en el rigor formal del concierto, cuya adecuación con la temática es absoluta y total. Este concierto es, según acertado dictamen del P. Federico Sopeña, una obra "conclusa, escueta y perfecta".

El nervio y la tensión rítmica del movimiento inicial, la naturalidad de su evolución temática, y la pertinente articulación de la guitarra con el complejo instrumental ; la noble y penetrante disgresión guitarrística de la segunda parte y, finalmente, la sugestión popular del tiempo conclusivo, ligera y viva, son los elementos que, sumados, determinan el tono y la gran calidad de esta obra cuya clase permitió presumir que nos hallábamos ante un espléndido punto de arranque de la producción de Rodrigo de postguerra.

Las partituras que inmediatamente ofreció Joaquín Rodrigo después del concierto para guitarra no confirmaron (al menos en la medida esperada) la latente promesa contenida en aquella excelente página. "Concierto Heroico" marca un acusado descenso de calidad, de inventiva y de técnica, y en el mismo declive estético hallamos el "Concierto de Estío" para violín, en el que, a pesar de las indudables aciertos que en orden instrumental presenta, no alcanza la altura expresiva lograda con el "Concierto de Aranjuez".

En las obras que siguieron, la formularia aplicación de la receta estructural del "Concierto de Aranjuez" provoca la pérdida de vitalidad que dimana de la clásica ecuación "contenido-forma" cuanto su proporción es justa, y en ellas persiste el proceso anunciado, en el que la gracia directa de aquella obra se evapora, para quedar sustituida en un producto en el que la habilidad de Rodrigo toma la plaza al cordial aliento que anima su concierto para guitarra. Aparecen en tal trayectoria "Ausencias de Dulcinea" para bajo, cuatro sopranos y orquesta datada en 1948, "Concierto galante" para violoncelo y orquesta (1949), "Soleriana" (1953), "Fantasía para un gentilhombre" para guitarra y orquesta que al igual que el "Concierto-serenata" para arpa está fechado en 1955. Entre dichas obras deben intercalarse otras de menor ambición pública como "Música para un Códice salmantino" (1952) para conjunto coral, el ballet "Pavana Real" (1955) y diversas composiciones destinadas a la escena, como la música para la representación de "Edipo".

La plantilla de solistas y los restantes elementos que utiliza en la partitura "Ausencias de Dulcinea" parecen indicar una tentativa de variar el plan creador impuesto a través de tres obras, casi consecutivas, en las que Rodrigo echa mano de la falsilla concertante. La variante instrumental de "Ausencias de Dulcinea" no comportó un cambio sensible de orientación estética en el quehacer de Joaquín Rodrigo pues en ella repite una vez más, con ligeros cambios, la receta invocada. La nobleza de la temática que informa el conjunto de la obra, alterna con cadencias de gusto arcaizante, montado todo ello sobre un ingenioso fondo instrumental que no siempre oculta la vacuidad de su cometido. La utilización de la sección de viento más parece destinada a ilustrar una película de ambiente medieval que a integrar una página sinfónica, cuyo contexto estético (derivado del título) parece indicar una indudable ambición expresiva.

En el "Concierto Galante" para violoncelo, la similitud conceptual y de realización que presenta con el "Concierto de Aranjuez", provoca que en repetidas ocasiones el instrumento solista merezca un trato análogo al de la guitarra, salvadas naturalmente las diferencias técnicas que ambos instrumentos presentan. El "Concierto para violoncelo" es en suma una nueva repetición de la fórmula invocada, la cual, en "Fantasía para un gentilhombre" (en la que nuevamente comparece la guitarra, como oponente al conjunto orquestal) halla de nuevo su primaria fuente inspiradora y con ella, su primitivo encanto.

Una de las últimas producciones de Rodrigo en este sentido, es el "Concierto-Serenata" para arpa y orquesta datado en 1955. El seudo-casticismo que impregna a los giros populares que informan el primer tiempo ("Estudiantina"), el estilo galante, con flexiones melódicas arcaizantes que utiliza en el movimiento siguiente ("Intermezzo con aria"), y el formalismo vacuo y liviano del postrer número ("Sarao") dotan a esta obra de una apariencia ligera y castiza que encubre un mal enhebrado discurso musical falto de sentido e inoportuno de contenido.

La decreciente línea valorativa de las composiciones de este músico está en la mente de los espíritus atentos al desarrollo de la música del país. Así, Federico Sopeña, en su "Historia de la Música Contemporánea", y en el capítulo titulado (nada menos) "El Músico de este tiempo: Joaquín Rodrigo" atrae toda la atención del lector hacia el "Concierto de Aranjuez", del que destaca y señala atinadamente sus valores, para rozar tangencialmente el "Concierto de Estío" y el "Concierto Heroico" al que considera "más caído del lado conservador, más de la actualidad como anécdota transitoria" para despachar con una simple cita sin comentario, los conciertos para violoncelo y arpa, y con una glosa literaria "Ausencias de Dulcinea".

En 1953 da Rodrigo "Soleriana" suite orquestal basada en varias sonatas del Padre Antonio Soler, en cuya realización acredita su peculiar tino y personalísimo estilo en la manipulación de los timbres orquestales. Finalmente, en 1957, presenta "Música para un jardín", serie de números adscritos a las características que en general definen la manera de este compositor.

Pero conviene notar que no toda la obra reciente de Rodrigo es fruto de la auto-copia de un feliz hallazgo inicial. Su producción pianística y en especial su obra para canto y piano, nos muestra en Rodrigo, el compositor de fibra, que une a su saber musical una sensible intuición, sujeta a un inteligente control, merced a lo cual, el traslado (la interpretación musical, diríamos) de los matices espirituales aprisionados en el poema escogido, es total y perfecto.

La consideración de la personalidad musical de este compositor no quedaría completa de no mencionar su aspecto literario. Rodrigo, escritor o conferenciante, es una de las mentes más lúcidas en el diagnóstico de las cuestiones que conciernen a la creación musical en función de su actualidad.

* * *

En contadas ocasiones, la aparición de un compositor ha sido tan celebrada, aplaudida y cordialmente recibida como lo fue la de Ernesto Halffter (1905), con motivo de la concesión del Premio Nacional de Música de 1925 a su "Sinfonietta". Contaba entonces este autor 20 años escasos y los positivos atractivos sonoros que la obra presenta se enjuiciaron a través de la extrema juventud de su autor. La autorizada voz de Adolfo Salazar, confirmó a aquel recién nacido en quien depositó el cometido de continuador más representativo de la recién inaugurada tradición musical española. El ballet "Sonatina", estrenado en 1928, reafirma las gracias que centran su estilo ya definido y perfilado en el que se dan la mano la tradición scarlattiana del siglo XVIII y la incisiva estilización de una temática de estirpe popular.

¿En qué piezas se ha concretado la obra que Ernesto Halffter ha sometido a la consideración pública en los últimos años? Apresurémonos a decir que debemos a dicho compositor una de las más estimables aportaciones al movimiento sinfónico español contemporáneo: nos referimos a su "Rapsodia Portuguesa".

Esta obra, datada en 1939, está en una línea espiritual más sosegada en relación con sus obras iniciales y en ella, a pesar del tratamiento un tanto formulario del piano, es notable el desarrollo temático y el equilibrio y perfecta articulación de sus diversos segmentos. El "Concierto de Aranjuez" de Rodrigo, que es del mismo año que la "Rapsodia Portuguesa" son las páginas que mejor marcan el índice musical peninsular en vísperas de la Gran Guerra pasada.

En los últimos quince años de la producción de Ernesto Halffter se concreta principalmente "Dulcinea", que es de 1944, "Canción de Don Quijote" (1947), el ballet "El cojo enamorado" (1951), "Fantasía para violoncelo y orquesta" (1952) y "Fantasía galaica", ballet que lleva fecha de 1955 y que aparece habitualmente en el repertorio de las actuaciones de "Antonio y su ballet español".

Si sobre algún compositor se acusan especialmente las enseñanzas del testamento espiritual y técnico de Manuel de Falla, es precisamente sobre Ernesto Halffter, receptor directo de sus consejos, amigo del compositor gaditano y depositario material de los papeles póstumos del maestro entre los que ocupó un importante porcentaje el manuscrito incompleto de la partitura de "La Atlántida".

No podía hallarse persona más idónea para encargarse de la comprometida tarea de "re-componer", instrumentar, orquestar y en muchos casos inventar, la fabulosa partitura falliana, pues el profundo conocimiento que Halffter acredita de los procedimientos del sistema creacional de Manuel de Falla, le capacitan singularmente para el desempeño de una labor de tan trascendente responsabilidad.

Al examinar las obras de Ernesto Halffter, y al observar la similitud estilística, rayana al mimetismo, que ofrecen sus recientes partituras con las del postrer período conocido de la producción de Manuel de Falla [1] ("Retablo y Concierto"), uno no puede dejar de preguntarse, si las enseñanzas del maestro penetraron tan hondamente en la entraña del discípulo, que contagiaron los más recónditos tejidos de las nuevas páginas que nos ofrece, o si, por una extraña ósmosis, el trabajo de identificación espiritual

---

[1] En el momento de redactarse el presente capítulo no se había estrenado aún "Atlántida".

que implica el poner a flote "La Atlántida", ha impregnado tan acusadamente el espíritu de Halffter, que éste no puede desprenderse del impacto que el particularísimo estilo falliano produce.

Cualquiera que sea la causa del influjo denunciado, es lo cierto que obras de tan graciosa factura y desenfadado acento como son "El cojo enamorado" (1951) o la "Fantasía Galaica" (1955), denotan de forma que no deja lugar a dudas la ascendencia de los procedimientos empleados por Manuel de Falla en las obras de la aludida fase.

"Dulcinea" (1944) viene en un momento en el que como por ensalmo aparece públicamente en todo el ámbito nacional un renovado interés por las múltiples proyecciones de nuestro libro inmortal : *El Quijote.* Se estrena en cine y en teatro "Dulcinea" de Gastón Baty; en 1943 Gombau escribe "Don Quijote velando las armas", obra de igual título que el episodio sinfónico de Oscar Esplá que es de 1925 ; en 1946 Juan Comellas estrena su "Don Quijote a Dulcinea", compuesta un par de años antes ; "Las ausencias de Dulcinea" de Rodrigo están datadas en 1948 y del mismo año es "La ruta de Don Quijote" del alicantino Rodríguez Albert, para citar solamente los más representativos.

La obra de Ernesto Halffter que mayor difusión ha tenido de cuantas ha concluido en el período que nos separa de la fecha del tránsito de Manuel de Falla, es el ballet "El cojo enamorado", que es del año 1951. Ante dicha partitura nos encontramos frente a un caso típico de impermeabilidad a la evolución espiritual experimentada por el mundo circundante y de fidelidad y sumisión a los principios estéticos bajo cuyo imperio compareció su autor en la esfera musical. En el indicado año, el giro que ha afectuado la música europea es sensible, pues no sólo se arrinconaron los postulados nacionalistas que dieron vida a un importante sector de la música occidental durante más de medio siglo, sino que además se plantea en términos de gran combatividad el problema referente a la validez del sistema tonal, que durante más de tres centurias ha constituido el eje de la concepción musical y armónica de nuestra civilización.

No es este el momento adecuado para desentrañar los perfiles y matices de las trascendentes cuestiones que se plantean en relación con el mencionado problema, que, si ha salido a colación, ha sido para calibrar y situar debidamente una obra como "El cojo enamorado", que al margen de toda disputa, ignorando conscientemente la querella mencionada, emerge al mundo musical peninsular con idéntica frescura y gracejo como si hubiese aflorado en él veinte años antes y a cuyo estilo parece responder plenamente su concepción y factura.

En la técnica instrumental de "El cojo enamorado", el nervio y la tensión que dimana de la gran lección del "Retablo" y del "Concierto" es perenne, pero tal sugerencia y presencia, no borra ni difumina la positiva calidad que la personalidad de Halffter incorpora a la obra. Esta se presenta con un discurso fácil y ameno, salpicado de matices irónicos y en el que la función narrativa que se le asigna (sostener un desarrollo escénico) no mengua el auténtico valor que de su evolución sonora ofrece, en el que la suma habilidad de su autor logra conferir interés a pasajes o motivos de mediano mérito y calidad.

Los números en que se divide "Fantasía Galaica" (1955) obedecen a unas características similares tanto en lo que a su orientación se refiere, como en lo que a su técnica orquestal concierne, a las señaladas al tratar de "El cojo enamorado". La perfecta adecuación de sus diversos fragmentos al cometido coreográfico que esencialmente se le asigna, hacen de esta obra, una de las mejores concebidas y realizadas en España con destino a la escena durante el período que contemplamos.

En las páginas conclusivas del presente libro se intenta determinar en qué se ha concretado el trabajo de Halffter en la reconstrucción de los fragmentos dispersos del legado póstumo de Falla. Recordemos que los primeros esbozos de la partitura "Atlántida" son de 1930. Su estreno ha tenido, pues, lugar a los treinta años de su nacimiento.

* * *

Carecemos de noticias de primera mano referentes a la actividad desplegada por Rodolfo Halffter en Méjico (donde reside desde el fin de nuestra contienda) que nos permitan emitir un fallo comprensivo de las derivaciones que ha experimentado su obra más reciente.

De Rodolfo Halffter, que participó activamente en la formulación del manifiesto del grupo que estudiamos y que dio durante el quinquenio republicano páginas como el ballet "Don Lindo de Almería" y sonatas de "El Escorial" para piano, poco conocemos de su último quehacer musical. Su "Sonata n.º 1", que es del año 1947, es una pieza que en sus trazos esenciales, no manifiestan un sensible cambio de signo estético en relación con su precedente producción. La realizada, en tiempos más próximos, parece acercarse a la técnica serial en cuyo dominio lleva concluida una variada obra que incluye páginas de cámara y otras destinadas a la escena. En el catálogo de su producción más reciente encontramos "Elena la traicionera", ballet (1945), "Epitafios", para coros a "capella" (1954), sobre poemas de Cervantes", "Sonata n.º 2" para piano (1951) y "Tres hojas de album" (1953), también para piano.

Las rutas emprendidas y las posiciones espirituales adoptadas frente al problema creador por los restantes miembros que militaron en esta avanzadilla musical, son muy variadas y dispares. A la común divisa, esbozada en otro capítulo, que sin formar un manifiesto concreto, cohesionó las múltiples iniciativas de sus componentes, sigue la diversidad de experiencias motivada por las dispersión de sus miembros que a su turno originó la pérdida de contacto y con ella la difuminación de la conciencia común.

* * *

Salvador Bacarisse (1898), que dio en un no remoto ayer muestras de un finísimo y mordaz talento musical en páginas tan seductoras como las "Tres Nanas", sobre poemas de Rafael Alberti, "Música Sinfónica" (Premio Nacional de 1931), por las muestras que tenemos de su actual posición estética, deducimos que aquella interesante inquietud ha naufragado para mostrarnos hoy una obra sosa e incolora de la que es testimonio su "Concierto en re n.º 4" para piano y orquesta que en el índice de sus obras aparece fechada en 1953.

A la vulgaridad conceptual a que formalmente responde la obra, debe agregarse la escasa imaginación manifestada en el trato del instrumento concertante, basado exclusivamente en fórmulas pianísticas de Conservatorio sin el menor asomo de originalidad. El segundo tiempo "Adagio molto", de carácter poemático, presenta unos temas de sesgo popular excelentemente manipulados, gracias a lo cual dicha página recupera algo de su interés y sabor.

La doble función (didáctica y de extensión tonal) asignada a los preludios y fugas del "Clave bien templado" de Bach y a los "preludios" de Chopín (y en sentido amplio, a "Ludus tonalis" de Hindemith), tiene en los "Veinticuatro preludios" de Bacarisse su trasunto actual, pero si en cada una de las piezas que integran el volumen, el armazón mecánico es análogo o equivalente al de sus modelos, no ha transmigrado a su interior el alma que vitalizaba aquellas realizaciones.

En le plano de las realizaciones corales, debemos a Bacarisse una excelente página : el poema de G. de Cetina "Ojos claros y serenos", trasladado al pentagrama en una obra entroncada en la mejor tradición polifónica.

Ignoramos el mensaje de que puedan ser portadores el ballet "La mujer, el toro y el torero", "Concertino para guitarra y orquesta" (1952) y "La sangre de Antígona" (1950) (ópera oratorio) que forman el capítulo más sobresaliente de su reciente producción.

La finísima personalidad de compositor que es Fernando Remacha (1898), hoy algo apartado de los menesteres activos de la composición, se distinguió dentro de este grupo en el que nos entretenemos, por su "Cuarteto con piano", que es del año 1933.

Las composiciones más importantes de Remacha aparecidas a partir del momento en que arrancan las presentes consideraciones, se reducen a "Sonatina" para piano que con la página orquestal "Fiestas" y el oratorio "Vísperas", están datadas en 1951. Remacha se ha sumado a los compositores que en estos últimos años han dedicado especial atención a la guitarra en su función de solista (Rodrigo, Palau, Villalobos, Castelnuovo-Tedesco, Ponce, Ohana) al terminar, en 1955, un "Concierto para guitarra y orquesta".

La noticia postrera, definidora del estado de su evolución técnica y estética nos lo da su "Rapsodia de Estella", premiada en el concurso "Eduardo Ocon" de Málaga de 1960, obra en la que la moderación y sosiego espiritual manifestado en relación a sus compañeros de equipo, adquiere un tono de mayor convicción y consistencia. Ponderado en el trato instrumental no excluye la audacia en la manipulación de timbres y sonoridades, lo que, unido a la perfecta articulación de la temática a la orquesta hacen de esta página una obra impregnada de nueva y chocante originalidad. También Remacha cuenta con una brillante contribución a las posibilidades expresivas de los conjuntos corales. Recordemos sus armonizaciones de canciones populares ("Ya viene la noche") y sus arreglos de varias páginas de Blas de Laserna.

De los restantes componentes de esta promoción, Julián Bautista, Enrique Casal-Chapí, Gustavo Durán, Gustavo Pittaluga, Adolfo Salazar y Federico Elizalde, principalmente, las escasas incursiones de sus obras a las salas de concierto y las poquísimas audiciones de tal producción, motivan que la valoración de sus aportaciones después del armisticio (1945) presenten con frecuencia abundantes lagunas y que las apreciaciones subsiguientes, por ser fragmentarias, no permitían calibrar debidamente el verdadero alcance y significación de las obras realizadas. Por ello adelantamos, que los juicios que siguen, están limitados por la consideración y examen de un reducido número de obras y que por tanto no se pretende sentenciar y dictaminar, por la unidad, el tono general de lo producido.

El primero de los nombrados, Julián Bautista (1901), obtuvo en 1926 el Premio Nacional de Música por su "Cuarteto n.° 2" y sobresalió especialmente por su ballet "Juerga" en los años terminales de la Dictadura.

Hasta el momento de su muerte, acaecida en el verano de 1961, Julián Bautista vivió alejado de la inmanencia de los problemas que plantea la vida musical peninsular. Radicado en la Argentina, tenemos noticias de que su última producción se concreta en "Fantasía española" para clarinete y orquesta (1945), "Sinfonía breve" (1956) y "Romance del Rey D. Rodrigo" para coro, obra igualmente fechada en 1956. En el "I Festival de música americana contemporánea", celebrado en Buenos Aires, se premió un "Cuarteto" de dicho compositor.

Mientras Enrique Casal-Chapí (1909), que dio en los días de la República diversas partituras con destino a la escena y compuso varias canciones sobre poesías de Lope de Vega, "que revelan un estilo limpio y elegante, auténticamente español en su clásico sentido" [1], según palabras de Gilbert Ghase, después de varios años de labor al frente de importantes formaciones americanas, con suspensión de su tarea de compositor, ha vuelto a participar en la vida musical española, el nombre de Gustavo Durán (1906) (a quien Antonia Mercé, "La Argentina", estrenó en

---

1 "La Música de España", de Gilbert Chase. Librería Hachette. Buenos Aires.

1927 el ballet "El Fandango del Candil"), ha aparecido mezclado en los sucesos de la revolución de Angola en el verano de 1961. Durán ha compuesto últimamente diversas canciones sobre textos de Rafael Alberti y sobre poesías de Lope de Vega.

"La Romería de los Cornudos", ballet escrito en 1927 (estrenado en 1930) es la obra que abrió las puertas de la popularidad y con el que Pittaluga unió su nombre a la generación madrileña que en los años finales de la Monarquía asaltó el escenario musical español.

Conforme a los criterios generalmente sustentados por sus compañeros de promoción, Pittaluga presentó una obra ligera, castiza, impregnada de giros populares, de graciosa hechura y de ágil trazo melódico, que arrancando del ballet indicado se matuvo en la generalidad de sus posteriores producciones, "El loro", zarzuela (1931), "Seis danzas españolas" (1935), y "Concierto Militar" (1935), y persiste en las de más reciente factura, si bien en éstas, se acusa una mayor preocupación por la "materia" empleada en la construcción sonora, tanto en lo que a selección del diseño musical se refiere, como en lo que concierne al estudio del conjunto instrumental que ha de servir de vehículo traslativo de dicha temática. La obra que mejor traduce la mayor hondura espiritual dimanante de la expresada preocupación es la titulada "Llanto por Federico García Lorca", de 1944, en cuyo complejo sonoro intervienen una voz recitante y dos pianos tratados con frecuencia como instrumento percutor, pero siempre de manera lógica y en estrecha vinculación con el desarrollo de la obra que es uno de los más interesantes logros obtenidos por la música española contemporánea.

Las más recientes muestras de la producción de Gustavo Pittaluga, son páginas de claro cometido funcional, destinadas principalmente a ilustrar películas cinematográficas o a servir de sostén a una acción coreográfica. Pittaluga colabora regularmente como compositor y director con la compañía de ballet de Pilar López.

Con sensibles contactos con los compositores estudiados, si bien en la actualidad está distante de los problemas que acucian la vida musical española, Federico Elizalde, nacido en 1890 en las Filipinas, es particularmente conocido por su "Concierto para violín", del que existe una excelente grabación debida al violinista Christian Ferrás. En esta obra es perceptible la huella de la fórmula concertante postromántica que a finales del siglo pasado cristalizó en los conciertos de Max Bruch y Wieniawsky, lo cual no es en menoscabo ni en detrimento de dicha partitura que, en conjunto, presenta una temática viva e inteligentemente articulada al solista y a la orquesta, lo que le confiere una elevada calidad artística. En la global producción de Elizalde figuran varias obras inspiradas en creaciones escénicas de F. García Lorca: valgan como ejemplo "Don Perlimplin" y "Títeres de la cachiporra".

Finalmente, al tratar de los más conspicuos componentes de esta generación, merece ser examinada en especial apartado, la figura de Adolfo Salazar a la que su extraordinaria talla de investigador musical, su finísimo talento de escritor y su penetrante y prodigiosa capacidad de síntesis, han erigido en el crítico y tratadista musical más completo que ha tenido España en los últimos treinta años. La excepcional clase de tales cualidades ha determinado a su vez el total eclipse de la interesante pero discreta obra que como compositor llevó a término, la cual quedó prácticamente clausurada antes de entrar el tercer decenio de este siglo.

Gracias a Salazar se introducen por primera vez unos principios de análisis y valoración crítica totalmente nuevos en la vida artística peninsular, acordes con las escalas estimatorias vigentes en las modernas corrientes estéticas europeas.

El fue quien, de forma razonada y sutil, enteró al país de lo que ocurría allende nuestras fronteras y estableció el pertinente parangón entre nuestras creaciones y las aparecidas en el mismo instante en el universo musical de aquel entonces. Con sus libros "El siglo romántico" (1936) y "Sinfonía y ballet" (1929), "La Música en el siglo xx" (1936) "La música contemporánea en España" (1930) "Música y músicos" (1928), "La Música actual en Europa y sus problemas" (1935), etc., escritos todos ellos con anterioridad al año 1936, Salazar no sólo informó de cuanto acontecía en el mundo en materia musical, sino que además moldeó y formó una conciencia musical de la que se carecía y dictó unas normas vivas de apreciación espiritual, muchas de las cuales están aún vigentes.

La tarea realizada en los últimos tiempos por Salazar en el campo de la composición es tan reducida, que su alcance y trascendencia son nulos e inoperantes en lo que a su función pública se refiere. Se limitan a unas breves obras corales. En cambio, la labor llevada a cabo en la zona literaria es de tal envergadura e importancia que supera en mucho los importantísimos trabajos que publicó antes de la guerra, pues ensancha sensiblemente el ámbito de su temática hacia materias históricas y de erudición a las que se trata siempre desde insospechados puntos de vista y en cuyo enfoque se nos muestra igualmente nuevo y original.

En su etapa mexicana denota Salazar particular preocupación por la posición de la música en el concierto general de la cultura y de las ideas estéticas. En consecuencia, sus consideraciones en torno al arte del sonido están siempre vinculadas al desarrollo de la restante expresión espiritual y del medio social en que nace, vive y perece.

Ello otorga a sus publicaciones aparecidas desde 1940 a esta parte, un indeclinable sello de profundidad, pues el principal fin perseguido, el estudio de la música, aparece rodeado de cuantos factores culturales pueden colaborar a esclarecer y captar su íntimo cometido, a la vez que confiere al estudio general un tono humanista de gran clase y estirpe.

A dicho período pertenecen sus libros "La música moderna", en el que analiza cuantos elementos de orden técnico, espiritual e histórico han intervenido en la múltiple definición de la música de nuestros días ; "Historia de la música en la sociedad europea", que es un exhaustivo estudio del cometido de la música en relación a los momentos esenciales de su desarrollo histórico y "Conceptos fundamentales de la historia de la música", obra en la que (como en la de Woelfflin, de la que toma el título), examina los puntos bases de la evolución sonora en la comunidad europea. A dichas obras deben sumarse "La música en la antigua Grecia", cuyo título es suficientemente expresivo para aclarar su contenido, del que no obstante diremos que el tema de las múltiples y variables hipótesis formuladas acerca del arte musical en aquella cultura, está tratado bajo un prisma nuevo del que nos ofrece perspectivas totalmente inéditas.

Junto a estas obras, cuya trascendencia y gran

alcance estético son evidentes y que por su importancia y contenido se dirigen a un sector mental especializado, Salazar desplegó en los últimos años una amplia labor difusora de la música en unas obras de divulgación, que unen a la claridad y originalidad del esquema del tema planteado, una novedad en su problemática que motiva que el contenido esencialmente "informativo" de dichas obras se desdoble merced al genio de Salazar en un estudio altamente "formativo". A este sector pertenecen "Síntesis de la historia de la música", "La música orquestal en el siglo xx", "La danza y el ballet" y "La Música". También en estos años dio a la estampa un interesante ensayo sobre la personalidad y obra de Juan Sebastián Bach, con cuya obra, la bibliografía bachiana, se ha enriquecido con un vivísimo estudio debido a una pluma española.

Adolfo Salazar murió en Méjico (D. F.) en otoño de 1958. La importancia que su obra ha tenido en nuestro ambiente musical es incalculable, pues si la fuerza y presencia de su influjo orientador se hace sentir en las vigentes promociones no es menos cierto que quien quiera rastrear, penetrar y conocer los íntimos problemas que ha atravesado la música española en el transcurso de los cuatro últimos decenios, tendrá que acudir a la fuente de enseñanza que la magistral lección estética de Adolfo Salazar le depara.

CAPITULO III

Otros compositores del «grupo central»

En mayor o menor grado, los compositores estudiados del grupo madrileño participaron activamente en una común definición estética. Mas luego, según hemos visto, al desmembrarse el núcleo primitivo, cada uno de sus componentes dio forma a sus personales vivencias en obras de muy variado calibre estimativo las que, no obstante, denotan su común origen y procedencia. Pero es normativo que una determinada avanzadilla espiritual no surja en la esfera cultural como un ente aislado, concretado únicamente a los miembros que lo forman, y es una constante que en el ambiente artístico en que desarrolla sus fundamentales supuestos expresivos, existan figuras y personalidades de no inferior mérito, que no intervienen en la formulación de los postulados propios del grupo y que carecen por tanto del aval, que otorga a sus "afiliados" directos la fuerza cohesionadora de un frente unitario. Hoy, los nombres de Jesús Leoz, Muñoz Molleda, José M.ª Franco, Pablo Sorozábal, Victorino Echevarría y Moreno Torroba, con ligeras variantes y por tener una edad pareja o similar a la de los componentes del "Grupo de Madrid", se nos aparecen por contraste como una heterogénea lista de individualidades cuyo diapasón emocional difiere mucho de una personalidad a otra. En una zarzuela de Pablo Sorozábal, encontramos escasas o nulas concomitancias con la obra sinfónica de Muñoz Molleda, y en la producción general de ambos autores no hallamos nexo espiritual alguno que los emparente con los restantes compositores relacionados o con los que integran el llamado "Grupo madrileño".

La mayoría de estos compositores cuyo examen intentamos ahora acometer, definieron sus peculiares posturas espirituales en las mismas fechas que sus compañeros de la generación de la República (a la cual por su edad pertenecen), es decir, antes de que comenzaran las cuestiones internas que asolaron la Península en el trienio de 1936-1939. De aquellos momentos son las zarzuelas de Pablo Sorozabal "La del manojo de rosas" (1934) y "Katiuska" (1931), obras que, aceptada la angostura espiritual que el género impone, denotan evidente riqueza de invención y de adaptación melódica, siempre claro está, en función de las limitadas perspectivas aludidas. Después de las creaciones de Amadeo Vives, dichas partituras son las que en los últimos veinte años mejor acogida han merecido por parte del público y las que mayor éxito y difusión han conocido.

Después de la guerra las dos obras de Sorozabal que en el plano escénico han llamado más la atención son "Black el Payaso" y "Don Manolito". En ellas no parece haber conseguido su autor resucitar la vena melódica que anima a sus zarzuelas primeramente citadas, con las que inició su carrera musical.

Sorozabal ha abordado también el género sinfónicoorquestal, pero en su producción tal capítulo asume un carácter circunstancial que no logra formar conciencia de su personalidad como sinfonista. "Victoriana", datada en 1952, única página no teatral que ha dado últimamente, es un trasunto orquestal de la concepción polifónico-vocal del más grande de los compositores españoles del siglo XVII, Tomás Luis de Victoria. Sin negar méritos a tal realización, estimamos que su textura orquestal excesivamente densa, empaña la claridad de los diferentes planos sonoros de la trama contrapuntista de las obras del maestro abulense que integran dicha composición.

A Sorozabal y como muestra más reciente de su trabajo en el orden sonoro, debemos una excelente revisión y de adaptación a las necesidades escénicas actuales de la famosa zarzuela de Barbieri "Pan y Toros".

También a una zarzuela debe Federico Moreno Torroba (1891) la difusión de su nombre en el ámbito musical del país, "Luisa Fernanda", obra de correcta factura que conoció en el momento de su aparición, poco antes de la guerra civil, un éxito sin precedentes, que el transcurso del tiempo no ha desmentido. Conviene notar, empero, que Moreno Torroba, artista de positivo mérito, no siempre ha laborado por los brillantes caminos de un género chico nutrido de una materia prima elemental y simple. Finísimo guitarrista y gran conocedor de nuestros clásicos, ha dado a este instrumento páginas tan interesantes como "Suite castellana", "Serenata burlesca", "Sonatina", "Preludio" y varias "sonatas", en las que su estructura de corte tradicional no resta fuerza a la positiva clase de la vibración expresiva y emocional aprisionada en dichas obras. La más importante contribución de Moreno Torroba a la música española de nuestros días es el "Concierto de Castilla" para guitarra y orquesta, obra en la que se combinan inteligentemente su rigor formal con las ideas musicales de evidente estirpe popular, que perfectamente estilizadas, sirven de motivo conductor de la obra.

En la zona lírica este compositor estrenó en 1957 su zarzuela "María Manuela".

Jesús Leoz (1904) y Muñoz Molleda (1905), situados por Sopeña en un llamado "Grupo intermedio", por estimar probablemente que si por edad y condición, es posible su encuadramiento en el Grupo dictador de la promoción republicana, sus preferencias estilísticas, les llevaron a otorgar a sus creaciones un sentido distinto del que anima la obra de aquellos autores con los que tienen escasa afinidad espiritual. Por ello y a pesar de que ambos compositores comparecieron a la palestra sonora en los días de la caída de la Dictadura, el examen de sus valores, ha debido considerar el P. Sopeña, por tender hacia otros objetivos, merece ser realizado en apartado especial. Más que un grupo "intermedio" creemos que dichos compositores pertenecen a un ambiente musical "aparte" y decimos ambiente por cuanto, técnicamente, tampoco pueden englobarse bajo el común denominador estético que el vocablo *grupo* parece entrañar.

Ante todo conviene apuntar que las creaciones de Jesús Leoz y de José Muñoz Molleda no se distinguen ni por su afán de novedad en el orden técnico ni por el despliegue de especiales inquietudes expresivas en el plano espiritual. Sus producciones son el resultado de la aplicación estricta y literal de los principios armónicos y de las lecciones de composición bien aprendidas en las aulas del Conservatorio, lo que se traduce en un tipo de obra que si bien denota la excelencia de su factura y la habilidad en el manejo de los distintos elementos que intervienen en la construcción musical, por estar ausente de las mismas la particular y personal aportación de sus autores, carece de interés, apareciéndonos en suma como unas correctas construcciones que por despersonalizadas resultan vacuas y sin sentido.

Con las anteriores palabras no pretendemos negar valor a la "música-función" o música aplicada, cometido que con harta frecuencia cumplen dichos autores —según veremos— a través de un academicismo sin aliento especial. Se intenta simplemente denunciar que la mera aplicación de fórmulas por bien asimiladas que éstas sean no constituye un credencial que baste para conferir interés artístico a una producción musical.

En los compositores que comentamos, su intención o impulso expresivo de corte post-romántico queda siempre frenado por la escasa novedad que trasciende del anticuado armazón técnico que sirve de medio expresivo a tales ideas.

La obra de José Muñoz Molleda es particularmente conocida por su oratorio "La Resurrección de Lázaro", ultimado en 1934, en el que están patentes las notas apuntadas. Las creaciones recientes de dicho compositor, entendiendo por tales las aparecidas en los últimos quince años, no parecen denotar variación sensible en relación con su obra antecedente de la que, con poquísimas oscilaciones, son trasunto actual.

En dicho capítulo se alinean "Miniaturas medievales" (1952), "Trío para flauta, violoncelo y piano" (Premio Nacional de Música de 1951), el ballet "La Rosa Viva" (1954), "Circo", suite sinfónica, y abundante producción cinematográfica, además de "Sinfonía en la menor", ganadora del Premio Ciudad de Barcelona en su edición del año 1959. Ni el plan de la obra ni su temática y desarrollo ofrecen otra cosa que una anodina y trasnochada sucesión de movimientos estampados sobre la falsilla clásica a la que su autor no confiere el más mínimo aliento de interés y novedad, a pesar de las pretendidas intervenciones dodecafónicas que en nada enriquecen su desmayada pobreza de ideas.

En 1953 moría en Madrid Jesús Leoz (exactamente, Jesús García Leoz) compositor cuyas premisas estilísticas y estéticas presentaban abundantes puntos de contacto con la obra de Muñoz Molleda, pues la seguridad y buena mano en el manejo del material sonoro estuvo, como en aquél, acompañada de una total ausencia de inquietud renovadora del lenguaje armónico.

Jesús Leoz nos muestra en sus producciones que aprendió bien las enseñanzas del Conservatorio al recitarnos correctamente las lecciones recibidas en la docta institución. Pero nada más, ni un ápice de imaginación encontramos en el desarrollo de sus exposiciones que anime la vacuidad de un discurso musical que más parece un tratado de composición que una obra con aspiraciones artísticas.

Dentro del limitado alcance espiritual de la obra de Jesús Leoz debe aceptarse que dio páginas como "Primavera en el portal" sobre temas navideños, (datada por los años que precedieron a su traspaso) de auténtico mérito y nos legó además, diversas canciones sobre textos de Antonio Machado y Federico García Lorca. Su "Cuarteto con piano" es igualmente de concepción y construcción clásica y en él, el primer tiempo, "Allegro deciso", de positivo encanto, contrasta con la vaguedad expositiva del segundo movimiento, "Coral variado" (grave y solemne). Nos informa A. Fernández-Cid [1] que además de "La duquesa del Candil" este compositor dejó una zarzuela: "La alegre Alcaldesa".

Completan el cuadro de autores de esta generación los nombres de Victorino Echevarría (1898), Angel Mingote (1891), José María Franco (1894) y Jesús Bal Gay (1905), estudioso de la música, del que sabemos por A. Salazar que en 1951 estrenó en en México un "Concerto grosso" [2].

A juzgar por el índice cronológico de sus obras, Echevarría no ha salido a la escena musical española hasta fechas muy recientes. Su "suite" de ballet titulada "Cataluña" se nos antoja un rosario mal ensartado de canciones populares del Principado catalán presentadas sin solución de continuidad, exentas del más elemental desarrollo, totalmente huérfanas de elaboración armónica y simplemente ensambladas sobre un cañamazo orquestal de discreta factura. Las restantes páginas de este autor, "Sacromonte en la noche", "Suite popular" (1956), "Quinteto en sol", de 1950, y "Quinteto en re menor" (viento) (Premio Nacional de 1955), parecen estar cortadas con similar patrón sin que su textura revele un dato merecedor de particular interés y atención.

En el grupo contemplado deben tenerse en consi-

---

[1] Antonio Fernández-Cid, "Jesús Leoz". Colección "O crece o muere". Madrid, 1953.

[2] A. Salazar, "La música orquestal en el siglo xx". Breviarios del Fondo de Cultura Económica, núm. 117. México.

deración los nombres de el P. José Ignacio Prieto (1900), autor de música religiosa, de Angel Mingote (1891), recientemente fallecido, quien con su colección "Doce canciones infantiles" mereció el premio Nacional de Música del año 1956, y de M. Martínez Chomilla, que con "Cinco sonoridades" para piano acredita un seguro instinto creador. La figura de Gerardo Gombau (1906), cuyas preferencias estéticas bordean a veces los caminos del tópico, si bien por su edad podría encasillarse en la promoción contemplada, por el estilo y momento de aparición de sus primeras creaciones estimamos que pertenece a las promociones de post-guerra y en el estudio a ellas dedicado le encontraremos.

Finalmente merece ser considerado en apartado especial la personalidad de José María Franco (1894), cuya posición en el campo de la música es de total independencia estética. Dicho compositor cuenta en su postrera producción un "Concierto castellano" para ondas "Martenot" (1957), probablemente la primera y la principal tentativa seria realizada en nuestros días para incorporar los modernos hallazgos de la técnica electrónica a la sensibilidad del país. Recordemos que el intento inicial en la materia se debe al Padre Donostia (según ha quedado consignado), quien, en el tercer decenio de este siglo, dio cima a un cuarteto para la citada novedad sonora.

José María Franco no circunscribe sus actividades a la esfera de la creación musical. Además de compositor, es un excelente director de orquesta, conocedor a fondo de tal cometido, y además es un excelente escritor y crítico musical.

Entre la reciente producción de este autor deben notarse sus "Piezas infantiles" (1946) para piano y

"Sonatina" (1953) para el propio instrumento y unas páginas para arpa de excelente factura y calidad de invención ("Lolo" y "Canción y danza").

Norberto Almandoz (1893), vasco de nacimiento, hoy director del Conservatorio de Sevilla, cuenta con una abundante obra coral de positivo interés, de la que destacamos su libro titulado "Diez coros vascos".

CAPITULO IV

Pasado y presente de los compositores catalanes de esta generación

El diferenciado estilo vital que Cataluña ofrece en la mayoría de las órdenes de su expresión espiritual en relación con las vivencias peculiares del resto del solar español, determina la aparición de un tipo de música, que al ser fiel calco de su peculiar personalidad, origina la existencia de una manifestación sonora sin precedentes en la música peninsular.

La afirmación "sin precedentes" no es retórica ni exagerada. Debido a múltiples circunstancias cuyo examen escapa de los lindes asignados al presente análisis y en cuyo estudio no podemos penetrar sin desviar la atención de nuestro objetivo principal, Cataluña vivió durante varias centurias alejada de la inmanencia de los problemas culturales de la Península y en consecuencia de los concernientes a la creación musical. Cuando al doblar el siglo actual se incorporó a las tareas activas de la creación musical, o realizó una estimable labor en el campo de la expresión coral (Millet, Pujol, Nicoláu y Grupo del "Orfeó Català") o se deslizó, según veremos seguidamente, por la pendiente wagneriana en cuyos abismos perdió muchas energías de su empuje inicial (Pedrell con "La Celestina" y "Los Pirineos", Morera y los intentos operísticos de Vives).

No es hasta después de la primera contienda europea (1914-18), que se esboza una personalidad musical específicamente catalana, que en el decenio 1920-1930 cristaliza en producciones de perfil y características netamente raciales. Esta expresión musical diferenciada tiene como principales artífices las figuras de Manuel Blancafort, Federico Mompou, Roberto Gerhard y Eduardo Toldrá, entre otros, que son los compositores que en la actualidad cuentan alrededor de los sesenta y cinco años y que en la esfera catalana representan como generación el equivalente de la generación de la República que hemos comentado, pues sus primeras *obras con significación* aparecieron en los días que antecedieron a la caída de la Monarquía.

Ahora bien, ¿qué alcance estético y qué contenido espiritual debe asignarse a las *obras con significación* a que nos hemos referido? El primer valor que las realizaciones iniciales de los compositores de este sector y generación nos ofrecen, es el de haber adquirido conciencia de que no podían adaptarse al genio catalán, las páginas de contenido altisonante, de excesiva ambición estética y de altura emocional superior a la mentalidad y temperamento de los maestros encargados de trasladar al pentágrama el hipotético mensaje espiritual del país.

Manuel Blancafort, Federico Mompou, Eduardo Toldrá y otros, en el informulado manifiesto de sus primeras obras, dieron a entender que la pieza de gran formato constituía una materia extraña al estilo de vida catalana, al que podían convenirle en cambio obras de menor alcance, cuyo horizonte estético, más ceñido a los valores de la tierra, fuera la expresión del naciente estilo cultural catalán que, también en aquellas fechas, redondeaba el definitivo perfil de su personalidad.

Esbozadas en sus líneas más generales estos antecedentes es preciso ahora aclarar *cómo* es la expresión musical catalana, es decir, de qué elementos se nutre esencialmente y deducir de su análisis en qué consiste la especialidad musical de este pueblo. Se intentará en suma definir el carácter interno de la materia espiritual que básicamente informa la música catalana y muy en especial la que nos es contemporánea.

Fue el gran crítico musical Adolfo Salazar quien, en un libro publicado en el año 1930 [1], introdujo en la vida espiritual de la península unos criterios de análisis estética, la vigencia de los cuales es aún en este instante prácticamente absoluta y total. Entre otros principios que más adelante desarrolló cumplidamente, distinguió en música, por los fundamentos de sus peculiares sistemas, las orientaciones llamadas nacionalistas (Rusia, Hungría y España) de origen relativamente moderno de las viejas estructuras sonoras nacionales (Alemania, Francia e Italia), y señaló para España unas subespecies de nacionalismos representados por las variantes expresivas regionales que componen el solar español.

¿Participa la música catalana del movimiento na-

---

[1] "La música española del siglo xx". Ed. La Nave, Madrid.

cionalista actual?, o bien, a pesar de las positivas ingerencias de la melodía popular en el área de la creación intelectual y de los constantes quiebros en el transcurrir histórico de su expresión sonora, ¿puede adscribirse a las estéticas no nacionalistas? Para contestar debidamente las cuestiones planteadas es preciso concretar qué fuerzas y qué corrientes espirituales actuaron sobre el cuerpo social catalán y determinaron el recobramiento de su personalidad cultural.

Si de una parte la conciencia de la nueva personalidad nacional catalana (fuerza política) formada a comienzos del siglo XIX abonó el cultivo y la revalorización de la canción popular como parte de un general programa de actuación, el hecho de la prematura mayoría de edad alcanzada y su inmediata consecuencia, la conciencia de formar parte de la sabia cultura europea, autorizó para aceptar e incorporar (como así ocurrió) las estéticas más alejadas del nacionalismo, Wagner primero, más tarde Debussy, luego "Los Seis" y finalmente la técnica dodecafónica. Por otra parte, si Strawinsky, Bartok o Falla, máximos representantes del nacionalismo, han influido en el músico catalán, no ha sido por la causa última que informa un buen sector de sus respectivas producciones, es decir, por el espíritu popular incorporado a sus obras en tal dirección, sino por los "procedimientos" (trato instrumental, orquestación) usados para trasladarlas al auditor. Por tanto, veremos que la música catalana si en sus inicios arrancó del elemento popular, este aspecto de dicha música no alcanzó suficiente consistencia conceptual para merecer el calificativo de "escuela nacional", como el que asignamos a Rusia, por ejemplo con Glinka, "Los Cinco", Strawinsky y Prokofieff como titulares de otras tantas fases de la evolución nacionalista.

La música catalana moderna, si en sus comienzos nació del estamento popular (Coros de Clavé a mediados del siglo XIX), no se alimentó esencialmente de material sonoro natural. La canción popular, los temas y giros popularizantes pueden informar la expresión musical del país, pero lo que ha determinado los rasgos esenciales de la actual personalidad musical catalana no ha sido precisamente la atmósfera popular deducida de la incorporación de melodías de dicho carácter, sino de la reiterada tentativa de *dar forma propia e inalienable a un pensamiento colectivo.*

En el traslado y manifestación del indicado pensamiento se utilizaron, según se ha dicho, procedimientos propios de las creaciones musicales de culturas ajenas a la catalana (Wagner, impresionismo) que desfiguraron los primeros conatos de dotar de una fisonomía personal a las producciones musicales del Principado.

La música catalana de hoy, con sus concretas limitaciones, ha tenido y tiene como principales fuentes de inspiración los principios informadores de las tradiciones cultas, porque, si bien ha utilizado textos populares, no ha sido para colorear la obra presentada, sino para estructurar con los mismos unas creaciones abstractas vinculadas al espíritu del país, a la vez que ha pretendido que este espíritu estuviera determinado por la estricta proporción entre el carácter de los diferentes temas y no por la referencia local que la expresada temática pudiera sugerir.

Por tanto, apuntamos, que si conceptualmente es difícil situar la producción musical de Cataluña en el encasillado del nacionalismo, convendrá en cambio deslindar la materia que informa la tentativa de *modelar un pensamiento colectivo.*

Avancemos que del mismo modo que no señalaríamos como representativas de la personalidad musical catalana obras como "Los Pirineos", de Pedrell, o "Gala Placidia", de Pahissa, no dudaríamos en cambio de asignar tal cualidad a composiciones como "Pregaria a la Verge del Remei", de Millet, "La mort de l'Escolà", de Nicolau, "Las Canciones y danzas", de Mompou, o los "cuartetos" de Blancafort. Tanto en aquéllos como en éstas se utiliza en forma permanente o esporádica la canción popular, pero lo que determina el carácter racial de las obras no es sino el equilibrio entre la cadencia o texto musical utilizado y el medio formal elegido para su manifestación.

La visión que nos depara la historia de la música catalana de los últimos sesenta años es la del lento proceso encaminado a eliminar de sus producciones el lastre de contenidos espirituales extraños al peculiar talante de su estilo vital, porque al dominio del italianismo operístico patente en los compositores del siglo XIX (Baltasar Saldoni, Vicente Cuyás, Ramón Carnicer, Nicolás Manen, Juan Sariols, etc.) siguió el imperio del wagnerismo, acogido con especial fervor por la burguesía catalana de principios de siglo e inspirador de múltiples obras de Pedrell y de Morera entre otras. Más tarde las producciones de los compositores catalanes anteriores al año 1920 o se inclinan hacia nacionalismo ibérico para darle en última instancia su forma y perfil definitivos (Albéniz con un matiz popular elevado a la categoría de arte, merced a la fecundidad de su inventiva y riqueza de su armonización. Granados, con una obra de estirpe romántica, impregnada del casticismo urbano de la época fernandina) o se plasma en una obra que, cuando intenta ser trascendente (caso del wagnerismo de Pedrell), se hunde, porque la debilitada y breve tradición musical catalana no estaba capacitada para tal carga espiritual, o —finalmente— se concreta en una obra de menor ambición, pero cuya importancia y trascendencia social fue decisiva.

En este sector milita el "grupo de 1908" o del "Orfeó Català", con figuras tan ilustres como Luis Millet, Antonio Nicolau y Amadeo Vives (antes de emprender este último el camino de la zarzuela). En manos de estos autores seguidores de la humilde labor de Anselmo Clavé se halla el germen de la personalidad musical catalana que no cristalizó en obras de temple europeo hasta después de la primera guerra mundial.

En el decenio 1920-1930, después de un período de brillante eclosión en el que las figuras de Prat de la Riba, Rubió y Lluch, J. Pijoan y Eugenio D'Ors principalmente, asumen el papel de principales protagonistas, la personalidad cultural de Cataluña entra en su madurez. En la zona musical, dicho estado toma cuerpo en las producciones de Mompou, Toldrá, Gerhard y Blancafort. Previamente, pero, había sido necesario que cayeran muchos prejuicios artísticos que embotaban la cristalización de una expresión artística (y por ende sonora) de corte genuinamente catalán. Para lograr tal expresión fue preciso despojar la música catalana de un importante porcentaje de lastre ideológico germano cuyo peso anonadó o, en el mejor de los casos, difuminó las esencias raciales que pudiera contener la obra de Pedrell o de Morera (wagnerismos) y más adelante la de Julio Garreta (1875-1925) (straussismo), si bien en la de éste las notas propias del alma catalana afluyen de forma sensible. Basta recordar su "Suite ampurdanesa" y "Pastoral" para tener conciencia de ello.

En otro libro [1] he considerado con detalle las diversas etapas de este proceso liberador, que en las presentes consideraciones puede resumirse como sigue: en el período comprendido entre 1900 y 1920 se gesta la peculiar expresión espiritual colectiva del Principado que con anterioridad se había manifestado sin cohesión, es decir, en forma dispersa. Las fases a través de las cuales el pueblo de Cataluña elimina los elementos extraños a su propia y peculiar experiencia vital se suceden a un ritmo rápido para cristalizar por los alrededores del primer armisticio en la concepción de los compositores antedichos.

En efecto, en las composiciones de Mompou y Blancafort por primera vez se produce en el ámbito cultural catalán el fenómeno de que su manifestación sonora sea fiel reflejo de su particular estilo de vida. Ahora bien, ¿qué características deslindan dicho estilo vital y determinan las notas definidoras de esta música que ya calificamos de catalana?

El temperamento catalán está compuesto entre otros elementos de diversos factores de índole racial, entre los cuales el *seny* o el buen sentido atribuido a los catalanes ocupa un puesto predominante. Dicha cualidad confiere a la mayoría, por no decir a la totalidad de las facetas vitales de Cataluña, un tono mesurado, de ponderación y de equi-

---

[1] "La música catalana contemporània". Ed. Selecta. Barcelona, 1960.

librio, que si bien califica y determina, a la vez que limita y frena el empuje inicial de la obra emprendida, otorga en cambio un sentido trascendente y poético al universo inmediato y tangible, a la realidad inmanente, que en forma tan amable constituye el mundo geográfico de Cataluña. Y no es que dicho pueblo carezca de la facultad y del don de sentir idealísticamente y de obrar en consecuencia; lo que ocurre es que la expresión ideal queda siempre condicionada por los atributos del *seny,* que tan importantes son, que determinan y tiñen los restantes factores con su particularísimo perfil. Por ello, si el *seny* es, según J. Ferrater Mora [1], "algo muy parecido a la mesura hasta el punto de que con frecuencia llega a identificarse con ella", y agrega *seny* es ante todo experiencia, "pero una experiencia continuamente refrenada por la mesura", debemos convenir que en el meridiano opuesto al *seny,* en *l'arrauxament* (el arrebato) (otro elemento del carácter catalán "opuesto al *seny*") que, como ha hecho notar J. Vicens Vives [2], es "la falta de prudencia en obedecer los impulsos emocionales", encontramos la explicación de muchos aspectos de los primeros momentos de la conciencia musical de Cataluña al pisar el umbral del siglo XX; los del wagnerismo. Los wagnerianos de primera hora fueron en su impremeditación afectados por este impulso de arrebato.

En la autolimitación que el *seny* impone radica contra toda apariencia (ya que en cierta manera

---

[1] J. Ferrater Mora, "Les formes de la vida catalana". Biblioteca Selecta, núm. 179.

[2] J. Vicens Vives, "Noticia de Cataluña". Ed. Destino. Barcelona.

parece que lastre la audacia creadora) la gran virtud que distingue a Cataluña como entidad portadora de una nueva voz cultural, si bien tal virtud debe conjugarse en función de la extrema juventud como pueblo. Al *seny* debe la música catalana el equilibrio entre su mensaje espiritual y el medio utilizado para trasladarlo, además del sentido de la proporción en el campo ideológico, que halla mejor expresión en las obras de reducidas dimensiones que no en las de dilatada forma, en las que la mesura propia del *seny* cede su puesto a criterios importados, más potentes, imposibilitando en configuración de su carácter. Piénsese si no en la obra de Juan Maragall, ponderada y ecuánime, en quien el *seny* al dominar sobre los elementos germanos que la influyeron (Nietzsche) la caracteriza, o en la concentrada expresión poética de una "Tanka" de C. Riba o en la serena meditación de "Elegies de Bierville" de este mismo autor.

En el terreno específicamente musical, el impresionismo francés, si bien influyó como sistema, fueron los principios de libertad armónica que su estética comportaba los que quedaron patentes en la intangible expresión sonora de F. Mompou, tan profunda y naturalmente catalana. A medida que se perfila y afina la sensibilidad del público, la recepción de la influencia germana, siendo igualmente patente, queda más pronto diluida en la cada vez más vigorosa personalidad musical catalana, y así tenemos que el estilo de Strauss no llega a despersonalizar la obra de Julio Garreta como no desfigura las creaciones de Roberto Gerhard el atonalismo serial de Schoemberg.

Las rutas emprendidas actualmente por los compositores catalanes surgidos del común espíritu reinante en el Principado durante la Dictadura han sido muy diversas, como distintos han sido los objetivos estéticos a que han apuntado sus principales protagonistas en anteriores etapas de su evolución.

En el punto de partida de las presentes consideraciones, los compositores que en su día configuraron la personalidad musical de Cataluña tenían perfectamente definidas y delimitadas sus respectivas personalidades y posiciones espirituales. Así, Federico Mompou, a la vez que confiere nuevo interés y profundidad poética a la melodía natural del país, crea una obra de corte preferentemente pianístico y esencialmente impregnada del espíritu de la tierra, al que otorga un tono intimista a la vez que trascendente. Manuel Blacafort, en aquel instante había zanjado con los criterios vivos y expresivos de su producción juvenil, en los que el humor (desconocido en la música catalana anterior a la primera gran guerra) asomó con frecuencia para orientar su obra hacia unos terrenos en los que una evidente preocupación estructural pasa a primer término.

Por su parte, Roberto Gerhard, con contadas excepciones, ratifica en cada una de sus nuevas producciones su fe dodecafónica esbozada en una obra anterior y muy en especial en la llevada a cabo hasta las vísperas del año 1936. Finalmente, Eduardo Toldrá, cuyas afirmaciones en la época la Dictadura contribuyeron tan decisivamente a esbozar la personalidad musical de Cataluña, en las fechas del traspaso de Manuel de Falla hacía más de diez años que había suspendido la actividad creadora en la que, a partir de 1935, ha hecho escasísimas incursiones.

Los restantes compositores de la promoción indicada (Luis M.ª Millet, Ricardo Lamote de Grignon, Rosendo Llatas, Juan Massiá, Joaquín Serra, Juan Altisent y José Valls principalmente) pocas novedades sustanciales han aportado en estos años a los principios contenidos en sus producciones. En general perseveran en los estilos y premisas que calificaron su primera comparecencia en el ambiente musical del país.

CAPITULO V

El reciente itinerario espiritual de los compositores catalanes de la «Generación de la República»

Desde que Vuillermoz [1] descubrió en la segunda década del siglo lo que de singular aportaba Mompou a la experiencia musical contemporánea, hasta las glosas de sus más calificados comentaristas, (Guinard y Kastner) la mayoría de los juicios emitidos en torno a Federico Mompou desarrollan el dictamen valorativo contenido en la apreciación crítica de aquel famoso tratadista francés. En tales comentarios se hacen esporádicas incursiones a otras zonas o aspectos sobre los que se proyectan las múltiples facetas de la personalidad de Mompou, pues si bien en la obra de este compositor las notas que de forma más inmediata se imponen a la consideración del auditorio son el concentrado misterio apuntado por Vuillermoz, y su tono intimista y con-

---

[1] E. Vuillermoz, "Musiques d'ajourd'hui". París, 1923.

fidencial (P. J. Guinard) [1], conviene también dilucidar qué otros factores o elementos espirituales intervienen e integran la expresión de Mompou.

El intimismo apuntado, ¿responde a la idea romántica de la expresión sentimental, o bien su última esencia queda hincada en criterios más sustantivos y de menos sesgo literario de los que informan en general el romanticismo?

Anticipemos que con tal pregunta no pretendemos asignar a la obra de este compositor una complejidad estética y conceptual, que la claridad y trasparencia expresiva de su obra se encargan inmediatamente de desmentir. Intentamos simplemente deducir del análisis de los diversos ingredientes emocionales que participan en la definición estética de Mompou su cualidad específica para presentar luego la síntesis que articula tal definición en un cuerpo estético unitario.

Anotemos que una triple filiación espiritual se hace sensible en la creación de Mompou; de una parte, la herencia de Chopin es perceptible especialmente en el orden conceptual; de otro lado es la personalidad de Scriabin la que de un modo imperceptible se desliza en ciertas páginas del compositor contemplado ("Preludio" núm. IX); finalmente, la huella impresionista, sin aparecer de forma ostensible, constituye un antecedente imprescindible para la existencia de la obra de nuestro compositor. Interesa puntualizar que las fuentes indicadas no constituyen lo que en forma tan pródiga ha dado en llamarse últimamente "influencia", pues más que influencia se trata de una auténtica filiación a

---

[1] P. J. Guinard. Comentarios al programa de un "Homenaje a F. Mompou". Barcelona. Diciembre, 1944.

XAVIER MONTSALVATGE

FEDERICO MOMPOU

la que Mompou otorga su particular y personal sello distintivo.

Si estimamos necesario señalar tales antecedentes para determinar el contorno de esta figura musical, conviene precisar además los restantes componentes de la obra de Mompou, de cuyo mutuo influjo, trasciende el peculiarísimo perfil emotivo de las creaciones de este autor. Además de las premisas estéticas anotadas, debemos tener presente que Mompou ha sido el primer compositor catalán que ha equilibrado en su obra el factor expresivo de signo acusadamente racial, con la "forma" o continente, adecuado para servir de vehículo a tal expresión, y ello es importante, porque la cultura musical de Cataluña, en cuanto a cultura con rasgos definidos y propios, necesitó de la obra de Mompou para adquirir y redondear la conciencia de su existir en el ámbito sonoro. Después de la urgente gestación de esta cultura musical, en la que los nombres de Anselmo Clavé, Felipe Pedrell, Luis Millet, Julio Garreta y Enrique Morera representan en cuanto a música específicamente catalana se refiere, un estado no madurado de su evolución, comprendemos la importancia de la generación de Mompou y de él mismo, al separar y eliminar de esta expresión, el lastre extranjero, literario o ajeno a su temperamento que arrastraba.

Al afirmar lo que antecede, no olvidamos las aportaciones de sesgo específicamente catalán realizadas por Roberto Gerhard, Eduardo Toldrá y Manuel Blancafort, pero si hacemos constar que la música catalana precisó de la obra de Mompou para adquirir conciencia de su personalidad, es porque este compositor no nos ofrece una simple realización de melodías, ni tiñe sus obras con los colores que podrían calificar y caracterizar su clima de catalán, sino que con aguzado instinto y peculiar don de concentración presenta en su obra la medida espiritual propia del sentir catalán, al que confiere una proyección universal.

En esta síntesis, los principales componentes espirituales del mensaje de Mompou están unidos por un invisible cañamazo poético, concretado en la *magia* o misterio que este autor otorga a cada una de las restantes notas, confiriéndoles un peculiarísimo halo expresivo. Esta cualidad presente en toda su producción se hace particularmente sensible en unas obras cuyo título es de toda evidencia significativo: "Cants magics" y "Charmes".

En sus últimas obras, Mompou ha manifestado estricta fidelidad a los principios informadores de su producción anterior. Conviene aclarar no obstante que tal fidelidad no ha significado estancamiento estético. Perseverar en una determinada idea o posición, sin copiar o calcar la fórmula original y desarrollar sus posibilidades en un sentido estilizador conducente a la paulatina depuración de sus calidades expresivas y técnicas, no solamente no significa una actitud apoltronada, sino que además implica una constante posición de alerta acerca de las posibilidades expansivas del pronunciamiento original.

Tal ha sido y tal es la actitud mantenida por Mompou a lo largo de su carrera de compositor iniciada con los tímidos esbozos de "Impressions intimes" (1914) y seguida por "Pessebres" (1917), "Suburbis" (Faubourgs) (1917), "Charmes" (1921), diez "Preludios" (1927-1944), en cuyas páginas late aprisionado el germen esencial de las notas apuntadas.

La producción de Mompou desde los días del armisticio (1945) hasta las fechas en que se escriben las presentes notas se ha mantenido en la línea y actitud espiritual indicadas. Con sus tres canciones "El combat del Somni" sobre poemas de José Janés, datadas entre 1942 y 1948, nos da diversas "Canciones y danzas", la última de las cuales, la número 10, es de 1953, en cuyas obras continúa la serie iniciada poco después de la primera gran guerra (la núm. 1 es de 1921) y en ellas confiere insólitas proyecciones armónicas a temas populares catalanes. En la octava "Canción y danza" (1946) Mompou otorga un sentido totalmente nuevo a la canción "El testament d'Amelia", cuya melodía gana en expresividad al adquirir una insospechada perspectiva armónica.

Por otra parte, en obras como "Música callada" para piano o en "Cantar del alma", sobre poesía de San Juan de la Cruz, ahonda en la vía abierta en "Cants Magics" y "Charmes", en las que su estética de meditativa concentración y transporte o rapto poético [1] adquiere singular presencia.

El universo sonoro de Mompou ceñido principalmente al área pianística (con abundantes excepciones de índole vocal) y pensado casi en exclusiva para dicho instrumento se ha manifestado últimamente en una zona totalmente nueva, la de la orquesta.

La especial intuición poética de Mompou no sólo se había circunscrito al piano como vehículo esencial de su traducción musical, sino que el peculiar trato

---

[1] F. Mompou, "Música Callada". Discurso de recepción de Mompou en la Real Academia de Bellas Artes de San Fernando (17-V-1952).

de sus obras en función de dicho instrumento dificultaban enormemente su traslado a la variada perspectiva sonora que la orquesta ofrece. En consecuencia, las más interesantes realizaciones orquestales que con sus obras se han efectuado debidas a figuras tan eminentes como Alejandro Tansmann ("Scenes d'enfants"), Manuel Blancafort ("Canción y danza núm. 6"), M. Rosennthal ("Suburbis") y John Lanchbery ("The House of Birds") denuncian siempre la ascendencia instrumental, entiéndase pianística, de donde proceden.

Por ello es de sumo interés considerar esta experiencia totalmente inédita en la trayectoria exprresiva de Federico Mompou. En tal dirección, el innato sentido musical de dicho artista ha suplido ampliamente las limitaciones que en el conocimiento del complejo orquestal pueda acusar. La obra sobre la que se asienta el mencionado desarrollo orquestal está constituida por una serie de variaciones al "Preludio núm. 7" en la mayor de Chopin, que agregadas a las tres que compuso en 1938 sobre el mismo tema dan un total de diecisiete variaciones. En cada una de las aludidas "diferencias" Mompou nos muestra distintas facetas de un fin único que se pretende alcanzar y cuyo objetivo logra plenamente: servir de base a un montaje coreográfico para el que está esencialmente pensada la obra. Las "Variaciones sobre un tema de Chopin" en su versión orquestal fueron terminadas en 1961.

La regular asistencia de Federico Mompou a una de las más interesantes manifestaciones de la actividad musical española contemporánea, la titulada "Música en Compostela", no se ha reducido a distinguir y a elevar con su personal prestación el tono de tal congregación ni se ha ceñido tampoco al simple ejercicio del magisterio en el cuadro de actividades de dicha organización, pues Mompou ha sido también receptor y depositario de una experiencia originada por su contacto con el alma celta y acentuada por el singular encanto del paisaje gallego en el que cada vibración hallaba su pertinente repercusión o eco en la sensibilidad de nuestro compositor. Al poderoso reclamo de dichos estímulos debemos una de las más recientes obras de Federico Mompou. Su "Preludio gallego" (1960) tiene precisamente aquel paisaje como materia inspiradora. Mompou había dado con anterioridad nueva proyección sonora a una de las Cántigas de Alfonso X y a instancia de Antonio Fernández-Cid había puesto en solfa (1951) un poema de R. Cabanillas en el que con certera precisión traslada musicalmente el íntimo mensaje poético que contiene.

* * *

También Manuel Blancafort compareció en la escena musical peninsular en un instante en que el ambiente cultural catalán alcanzaba su mayoría de edad y comenzaba en consecuencia una nueva etapa encaminada a la consolidación de su perfil personal.

Las obras iniciales de Blancafort responden plenamente por su espíritu a aquel clima cultural que configuró el peculiar contorno expresivo de Cataluña en los años que siguieron de inmediato a la primera gran guerra, pero además, y ello es lo importante, introdujo en el muestrario del patrimonio musical del Principado unos conceptos estéticos inéditos y hasta el instante no admitidos por las mentalidades artísticas del país.

Blancafort, al irrumpir en el horizonte musical catalán (como Mompou en su personal esfera), abrió una nueva brecha en el hasta entonces estrecho coto de su expresión sonora, al ensanchar sus posibilidades espirituales, introduciendo en la misma el humor, la ironía, el acento lírico o incluso una desenvuelta banalidad, como elementos susceptibles de estimación valorativa en su traslado al área musical. Tales entidades espirituales no sólo eran desconocidas en el ambiente musical catalán de comienzos de siglo, sino que además la seriedad y gravedad de pensamiento imperantes bajo el influjo de los principios wagnerianos repudiaban su aceptación y les negaban su ciudadanía estética. A Blancafort debe la música catalana (y por ende la española) la introducción de aquellos principios espirituales en los que (sin renunciar su autor a su idiosincracia racial) no se plantea la cuestión entonces plenamente vigente (1920-1930) de la estética nacionalista.

A tal signo de tono marcadamente europeo, pero matizado con un indeclinable giro de cuño catalán, pertenecen el "Parc d'atraccions" (1918-1924), con sus números "La polka de l'equilibrista", "L'orgue del Carrousel", entre otros, y "American Souvenir" (1927), en algunas de las cuales además de los factores espirituales enumerados está presente en forma activa y como elemento novísimo hasta entonces *in-audito,* la mecánica regular y uniformemente dinámica de la pianola.

Si recordamos que Strawinsky compuso a finales del año 1917 una pieza titulada "Madrid" [1] destinada a dicho artefacto, y que había pensado en el

---

[1] Igor Strawinsky, "Chroniques de ma vie". Denoël et Steele. París, 1935.

mismo para el instrumental de "Noces" [1], no nos sorprenderá descubrir cierto paralelismo intencional entre el autor ruso y la obra del primer período de Blancafort, que tuvo sus páginas destinadas a la pianola, mayormente si consideramos que nuestro compositor fue fabricante de pianolas (en sus estudios de grabación —como se diría ahora— pasaron artistas tan eminentes como Sauer y Padrewsky), que las "máquinas parlantes" patentadas por Edisson a fines del siglo XIX y tan difundidas a partir de su industrialización desplazaron definitivamente del mercado de instrumentos reproductores de música.

Después de tan brillante y original entrada en la escena artística del país, la posterior producción musical de Blancafort cambia de signo, especialmente a partir de 1940, si bien los indicios de tal mutación, son perceptibles en páginas compuestas con anterioridad a la fecha indicada.

Después de "Ermita" y "Panorama", que son partituras inmediatamente anteriores a la guerra española, y en las que se acusan los síntomas apuntados, Blancafort comparece con un "Concierto para piano y Orquesta" (1944) en el que el viraje intencional experimentado en su trayectoria estética es sensible, pues tal obra significa un corte total con los postulados informadores de su obra anterior. Los principios de humor, intrascendencia y de consciente liviandad contenidos en "El Parc d'Atraccións" que aportaron un renovado aliento a la música peninsular de aquel instante y reflejaban en nuestra cul-

---

[1] Doménico de'Paoli, "Igor Strawinsky", G. B. Paravia & C. Torino, 1934.

tura unos principios creadores que gozaban de especial predicamento en importantes sectores musicales europeos (especialmente franceses) por su reacción anti-impresionista, son abandonados y sustituidos por un nuevo ideario musical.

En el "Concierto para piano núm. 1" (1944) el quiebro de Blancafort con su pasado musical es total y, por lo que de su obra posterior puede colegirse, definitivo. En el concierto citado, al romper con los criterios definidores de su estilo inicial, penetra en una inconsistente zona de indecisión, en la que se barajan criterios de expresión post-romántica con la receta concertante explotada por Rachmaninoff en las primeras décadas de este siglo. En las obras que siguieron, Blancafort otorga mayor concisión a su pensamiento sonoro, que se concreta en unas producciones en las que desaparece todo rastro del manifiesto de un humor inicial, y se troca en unas concepciones en que la intención asume mayor densidad conceptual y en consecuencia una superior profundidad expresiva : lo que la obra pierde en gracia, ligereza y color queda compensado por la accesión de nuevos y más trascendentes valores, que se encuadran en un armazón formal positivamente sólido.

En las obras como "Cuarteto núm. 1" (1948), "Concierto Ibérico para piano y orquesta" (1946), "Preludio, aria y giga" (1944), "Cuarteto de Pedralbes" (1948) y "Sinfonía" (1950), se cumple en progresión ascendente la firme voluntad de Blancafort de fijar en unas bien tramadas estructuras su nuevo criterio musical. Por otro lado, esta vocación formalista resulta igualmente patente y clara en la obra definidora de su primer momento. Dijimos en otra parte [1] que si la forma es en la obra de Mompou una consecuencia impremeditada o accidental de su manifestación musical, en la obra de Blancafort es un requisito necesario para conseguir su íntima necesidad de concreción. Las obras que integran la reciente producción de Blancafort, constituyen otras tantas fases de un proceso conducente a encontrar el equilibrio en la ecuación "tema-forma", a la que dicho autor condiciona la expresividad de la obra.

Una "Rapsodia catalana para violoncelo y orquesta" que no ha salido a la consideración pública, en unión de una importantísima partitura para coros y orquesta sobre texto religioso en vías de conclusión, constituyen el último capítulo de la experiencia creadora de este compositor.

* * *

La trayectoria de la producción de Roberto Gerhard anterior a la guerra, acusa un constante acercamiento al sistema de composición musical de la llamada escuela "atonal vienesa". Sus contactos con la escuela serial y su personal amistad con Schoemberg han determinado a la postre la total adscripción de Roberto Gerhard a los principios informadores de la expresada estética. De su primer período son "L'Alta naixença del Rei en Jaume" (1931), sobre poemas de J. Carner, y el ballet "Ariel" (1930), producto de su colaboración con el poeta J. V. Foix y del pintor Joan Miró, que en su versión orquestal fue estrenado en 1936 en Barcelona, dirigido por

1 M. Valls : obra citada.

Hermann Scherchen. Las "Soirées de Barcelona" son del mismo año 1936.

Importa sobremanera destacar que la obra de R. Gerhard tiene una particularísima significación dentro del panorama musical español de los años finales de la Monarquía e iniciales de la segunda República, por haber sido el primer y único compositor que en aquellas fechas militó en una facción estética, la del dodecafonismo, que, si bien había logrado afianzar algunas de sus posiciones, era tenida por un movimiento que representaba la máxima sedición a los principios informadores de la equilibrada, aunque un tanto desacreditada, estructura sonora europea : la del reino de la tonalidad.

Roberto Gerhard, repetimos, fue el *pioneer* introductor de la Península de un sistema que ha sido y es germen de las más interesantes tentativas de renovación del arte del sonido en nuestras latitudes en nuestros días.

En los últimos veinte años el itinerario seguido por la expresión artística de Gerhard experimenta un acusado vaivén espiritual. Así, a partir de 1940 su labor pasa por un trecho de evidente atención por el fenómeno musical de signo español, que se deduce en los títulos con que distingue sus obras. La mayoría de lo producido en la década 1940-1950 entra totalmente en la aludida orientación españolista. En 1940 da "Don Quijote" ; en 1941 su "Sinfonía homenaje a Pedrell" ; viene en 1942 el ballet "Alegrías", seguido en 1943 de "Seis tonadillas". Durante todo el período contemplado trabajó en la composición de una ópera de similar criterio expresivo, "La dueña", terminada en 1947.

En las obras relacionadas, el acercamiento al sistema musical tradicional dista mucho de ser general y absoluto, pues la presencia de los postulados informadores del nuevo procedimiento de composición es constante. Ahora bien, la total entrega a las reglas y normas sentadas por la escuela dodecafónica no se realiza hasta 1950, fecha en que aparece su "Concierto para violín y orquesta" y que viene confirmada en la "Sinfonía" de 1953 para culminar en sus más recientes producciones "Concierto para clavicembalo, cuerdas y percusión" (1956), "Nonet", para instrumentos de viento y acordeón (1957) y "Sinfonía núm. 2" (1957), en las que el propósito atemático impuesto por las postreras derivaciones del sistema alcanza su más lograda manifestación.

Al punto de hacer balance de las conquistas alcanzadas por Roberto Gerhard es preciso insistir en que dicho compositor realizó la primera tentativa de introducir e incorporar en la música del país en pleno apogeo del nacionalismo (1920-1930) unos criterios estructurales y en definitiva estéticos que diferían radicalmente del credo nacionalista y cuya pugna conceptual aún perdura.

Gerhard, en su posición de músico adscrito al atonalismo vienés, ha evolucionado desde los principios iniciales de este régimen de composición hasta una problemática sonora producto de su particular experiencia. En ella apreciamos, junto con la calidad de su "oficio", la síntesis conceptual alcanzada con la que obtiene un producto musical, cuya pureza entraña con frecuencia, debido a su concentrado intelectualismo, cierta aridez y sequedad expositiva que a su vez se traduce en un uniformismo auditivo en el que se diluye la personalidad de su autor, que en consecuencia resulta irreconocible.

En un plano no creacional es notable la tarea

realizada por Gerhard en la revisión de la parte orquestal de varias zarzuelas portenecientes al repertorio clásico.

* * *

Las premisas espirituales en que se desenvolvió la fase de compositor llevada a cabo por Eduardo Toldrá en los años que siguieron a la terminación del primer conflicto armado europeo contribuyeron en forma decisiva a definir en el sector musical el perfil cultural de Cataluña. Su voz con "Vistes al mar" "La maledicció del Compte l'Arnau" (1922) y "El giravolt de Maig" (1928), sonó en el conjunto de compositores del momento con timbre personalísimo a pesar de moverse dentro de los cánones de la tradición más estricta.

En otro lugar [1] he intentado precisar y detallar las características fundamentales del estilo de Toldrá como compositor y de señalar, en suma, su situación en el mapa cultural del país. Ahora interesa solamente presentar los más recientes frutos de su labor creadora.

La parvedad de la obra de Toldrá en el ámbito de la creación, durante el período que abarcan las presentes consideraciones es debida esencialmente al absorbente cometido que realiza como rector de la Orquesta Municipal de Barcelona (al frente de cuya agrupación ha dado cerca de 300 obras con carácter de primera audición en los 18 años de vida de la institución con más de 700 actos de concierto), que ha paralizado casi totalmente sus restantes actividades musicales.

---

[1] M. Valls: obra citada.

Después de las canciones sobre textos de autores españoles del Siglo de Oro (Lope de Vega y otros) compuestas en 1942, en unos instantes en que aún no le había sido confiada la dirección de la primera entidad orquestal barcelonesa, Toldrá ha dado a la luz pública una obra menor que, a pesar de la excelente mano en su realización, es de limitada ambición espiritual : se trata de "Siete canciones populares catalanas" para coro mixto datadas en 1959. En dichas páginas, Toldrá acredita un perfecto conocimiento de las posibilidades expresivas del coro al manejar con singular habilidad y tino los múltiples recursos y combinaciones que ofrece, con los que especula inteligentemente en su busca de un rendimiento expresivo máximo.

La casi total suspensión de la práctica creadora, no ha desplazado a Eduardo Toldrá de su puesto militante en el quehacer musical, en el que su importante trabajo de dirección, al frente de la Orquesta Municipal de Barcelona, le mantiene en constante primer término en la vida musical del país.

La competencia y el prestigio de Toldrá como director, respaldado principalmente por su inteligente labor apuntada se acrecentan diariamente por la perpersistente reclamación de que es objeto, por parte de las organizaciones de los principales festivales de música europea. A Toldrá se le ha confiado la dirección de la música española en los festivales internacionales de Edimburgo, Bruselas y Besançon y en España ha dirigido repetidas veces en los festivales de Granada, Santander y S'Agaró.

CAPITULO VI

Diversidad de tendencias en la expresión musical catalana de esta generación

Las personalidades consideradas en el capítulo anterior, a pesar de la divergencia espiritual de sus respectivas realizaciones, deslindaron una hora muy concreta de la música catalana y el peculiar sello que imprimieron a su labor conjunta, las presenta como un bloque ligado por el común denominador definidor del espíritu de la promoción.

La dispersión y variedad de criterios estéticos de las figuras satélites que acompañan a los definidores de aquel momento cultural, dificultan su consideración o examen conjunto y el señalamiento de unas líneas directrices fundamentales que sirvan de unión entre los miembros de esta generación que no participaron en los pronunciamientos fundamentales del grupo y cuyas particulares filiaciones estéticas nos los presentan como un conjunto heterogéneo de personalidades.

Integran dicho grupo, Ricardo Lamote de Grignon, José Valls, Luis M.ª Millet, Juan Massiá, Cristóbal

Taltabull, Joaquín Serra, Rosendo Llatas, Joaquín Zamacois, Juan Altisént, Juan Just, José M.ª Roma y otros, quienes, según veremos seguidamente, presentan obras de muy diversa significación y valor. Podemos afirmar que estas personalidades forman el cortejo de figuras que acompañan a las generaciones y que Dionisio Ridruejo las denomina "los fragmentos generacionales de signo discrepante" [1].

En conjunto las producciones de los elementos de este grupo, admitida la corrección técnica de sus realizaciones carecen del alma concreta o del "parecido generacional" que sólo puede conferirles el estilo propio de su generación. Con las palabras antecedentes no intentamos ponderar que la adscripción mencionada se refiera a la de la moda de componer (que en último término, es sólo *modo* de componer), en un determinado instante histórico, afección siempre efímera por superficial, sino que con ellas, se pretende denunciar el hecho de no haber captado aquellos miembros el peculiar latido de "su" etapa histórica y desconocido e ignorado por tanto el papel que debía desempeñar en función de aquella hora, "su" hora, les niega su posición de actores o rectores del movimiento espiritual en el que están inmersos les coloca en una situación de acompañantes en la escena musical de su momento en su aspecto de creación.

La producción ofrecida por dichos compositores, en su más reciente fase, revela, junto con una mayor seguridad de pulso en el manejo del material sonoro, una persistencia en la indiferenciación estética mencionada o una ausencia de definición espi-

---

[1] Dionisio Ridruejo, "En algunas ocasiones". Ed. Aguilar, 1961.

ritual que comporta a menudo una evidente dispersión expresiva.

La "indiferenciación" invocada se hace particularmente sensible en las postreras partituras de Ricardo Lamote de Grignon, pues mientras en su poema "Enigmes" (Premio Ciudad de Barcelona de 1951), están presentes los recursos orquestales de las obras iniciales de Ricardo Strauss, de clara filiación postromántica, en otras ocasiones su escritura constituye un hábil reflejo de los procedimientos derivados de la huída de la tonalidad, como en la obra ganadora del concurso de Juventudes Musicales de 1957, titulada "Toccata", página de correcta escritura cuya audición no presenta especial atractivo debido al carácter monocromo de su exposición discursiva, resultante de una buscada y consciente vaguedad tonal.

Además de las obras mencionadas, Ricardo Lamotede Grignon, ha estrenado en el lapso de tiempo contemplado "Sinfonía catalana" y "Tríptico de la piel de toro" para piano y orquesta y dos partituras destinadas a la escena : una ópera de cámara "Magia" y otra de mayor ambición presentada en 1960 en el Gran Teatro del Liceo de Barcelona, titulada "La Cabeza del Dragón".

La "Sinfonía catalana" (1956) es una obra de clara factura conservadora, con todas las implicaciones que tal etiqueta comporta : su formato tradicional, la nula inquietud tonal que de su exposición trasciende, y el escaso interés que despierta el trato de su temática, hacen de esta página un producto de conservatorio, sin especial atractivo.

Mayor aliciente estructural ofrece "Tríptico de la piel de toro" (1959), obra en la que el papel concertante del piano se conjuga admirablemente con el cometido asignado a la sección orquestal. Tam-

MANUEL BLANCAFORT

ERNESTO HALFFTER

bién este compositor ha sentido la tentación de orquestar la producción para clave del P. Antonio Soler. Resultado de tal empresa es la excelente versión para orquesta de "Tres sonatas" (1949) del más calificado representante de la escuela scarlattiana española.

A la variedad de criterios conceptuales y constructivos de las obras reseñadas origen de la vaguedad estética apuntada, opone Lamote en sus creaciones escénicas el inequívoco perfil de los criterios espirituales informadores de la obra wagneriana a los que no otorga especial proyección.

A "Magia", que es una interesante ópera de cámara siguió en fechas recientes otra de mayor ambición y envergadura : "La Cabeza del Dragón", partitura montada sobre la adaptación de el cuento de igual título de Ramón del Valle-Inclán. En ella, el inmejorable trato a que somete el complejo orquestal y la gravedad de las tintas expresivas de los motivos empleados no siempre casan con la candidez asignada a la fábula narrativa a la que incorpora un humor ingenuo y pueril.

Notemos que en la última etapa de la producción de Lamote de Grignon figura una importante obra pianística y copiosas partituras destinadas a cintas cinematográficas. En el momento de ordenar las presentes notas, la música catalana ha perdido este excelente representante de su expresión. Ricardo Lamote de Grignon falleció en febrero de 1962.

De José Valls (1904), que en el año 1931 obtuvo el premio de la "Fundación Garret", de Filadelfia, por "Concierto para cuarteto de cuerda y orquesta", hemos conocido recientemente una sinfonía terminada en 1935, de franca orientación neo-clásica perfectamente trabada en sus elementos estructurales y rica en invención melódica y que presenta en su tiempo conclusivo un compás irregular o quebrado (7/4), de cuya dificultad traslativa no trasciende un factor intencional de especial interés. El apartamiento de José Valls de los problemas musicales de España, nos veda un más exacto conocimiento de la orientación imprimida a sus últimas especulaciones, pero el espíritu que trasciende de la obra comentada, autoriza a suponer que en sus posteriores creaciones, José Valls se ha mantenido en una línea conservadora y discreta a la que no alcanza conferir especial novedad su correcta y depurada factura. No obstante, tenemos noticia de que su oratorio, "Debora y Jael", es una obra técnicamente muy avanzada con indicios de auténtica modernidad que hacen especialmente interesante y atractiva dicha partitura.

Acompañan a los miembros estudiados de este grupo las figuras de Luis M.ª Millet, Juan Massiá y Cristóbal Taltabull, quienes si bien han aportado estimables realizaciones en el ámbito creador, sus nombres han cobrado especial fama en el ámbito musical del país, merced al desempeño de otros menesteres igualmente vinculados al quehacer sonoro, como son la dirección y preparación del "Orfeo Català" por Luis M.ª Millet, la carrera de concertista y la labor pedagógica que realiza Juan Massiá y el cometido formativo y orientador de las nuevas promociones mantenido con singular tacto por Cristóbal Taltabull.

Si Luis M.ª Millet como compositor ha dado en los tres últimos lustros, aparte de piezas menos ambiciosas, obras de tanta envergadura, todas ellas para coro, como "Agar", sobre poema de Juan Alcover y "Chora" sobre texto de José M.ª Segarra, en las cuales su conocimiento de los recursos y posibilidades expresivas del coro, queda patente, es su cometido de preparador y director de la más importante formación coral de Cataluña, la que ha situado su figura y en consecuencia su nombre en un puesto distinguidísimo en el ambiente musical peninsular.

En relación con Juan Massiá y Cristóbal Taltabull, el supuesto educativo y orientador anunciado adquiere singular relieve. Ambos artistas suspendieron prácticamente sus actividades creadoras a raíz de la guerra para dedicar la mayor parte de su tiempo a la educación musical y a la formación estética de las promociones jóvenes. Discípulo de Massiá es Narciso Bonet y de la aula presidida por Taltabull, han salido José Cercós, Juan Comellas, Angel Cerdá, José Casanovas y José Mestres Quadreny, con quienes nos encontraremos más adelante.

Rosendo Llatas, también compagina inteligentemente la pedagogía musical con la composición, realizando además una vivísima labor como crítico y tratadista. La obra más interesante y de mayor relieve ofrecida en el plano de la creación, se concreta su "Concierto para piano y orquesta" (1948) del que, al margen de querellas estéticas trasciende una vigorosa expresión, trasunto de su positivo temple de compositor.

No quedaría completo el estudio de las personalidades que integran esta promoción, sin el examen de las figuras de Joaquín Serra y de Juan Altisent.

El primero, Joaquín Serra (1907-1957), nos dejó una obra sinfónica muy estimable, de acusado descriptismo poemático y de gran naturalidad narrativa, concretada principalmente en "Suite pastoral" y "Variaciones para piano y orquesta". Pero, además, el nombre de Joaquín Serra ha ganado prestigio y rango internacional, al escribir para la compañía del "Marqués de Cuevas" la partitura del ballet "Inés de Castro", que montado sobre coreografía de Ana Ricarda figura habitualmente en los programas de dicho conjunto.

El carácter netamente académico de las producciones de Juan Altisent (1891), se hace particularmente sensible en su obra sinfónica de la que destacamos un notable "Concierto para oboe y orquesta" (1953) y un "Concierto para arpa y orquesta" (1955) además de otras obras en las que es perceptible un sentimiento de clara estirpe romántica.

En su ópera "Amunt!", estrenada en el Liceo de Barcelona en 1959 y articulada sobre un libro de Jaime Picas, se hallan presentes la generalidad de los postulados informadores de la estética wagneriana. La evolución musical de la obra está sometida a la reaparición cíclica que el "leit-motiv" impone y en su desarrollo temático, en algunos instantes excesivamente ingenuo, hallamos frases o fragmentos de positivo valor y mérito, concretados en particular en su perfecto trato de las partes corales. En la actualidad Juan Altisent da cima a la composición de sotra ópera titulada "Tirant lo Blanch", montada sobre una adaptación, debida al novelista Juan Sales, de la famosa narración de Joanot Martorell. "Poema de la Resurrección" (1960), es una atinada y correcta traducción musical del texto poético del P. Miguel Melendres.

Finalmente, merecen ser notados otros componentes de este grupo, por los méritos y valores que sus particulares experiencias presentan. Joaquín Zamacois (1896) nos dio en 1928 el poema sinfónico "La siega" para orquesta, y en fechas más cercanas Aguafuertes" (1939), de marcado entronque académico. Pero la significación de Zamacois en el campo musical es debida especialmente a la importantísima labor teórica, docente y didáctica realizada. En la actualidad, es director del Conservatorio Superior Municipal de Música de Barcelona.

Por su parte, José M.ª Roma, que en el sector pianístico ha dado "Sonatina" (1946) y en el escénico un ballet titulado "La Infanta" (1957), cuenta además con una importante producción organística.

Agustín Grau (1893) es interesante por su obra pianística y Julio Pons, distinguido pianista, cuenta entre otras obras con un concierto para piano y orquesta de amable factura y de franca orientación romántica.

CAPITULO VII

Los compositores levantinos y baleares de la promoción estudiada

"...feu sonar la donsaina en totes les vostres festes."

TEODORO LLORENTE.

La proximidad geográfica y la analogía étnica y no otro nexo de orden doctrinal o estético, agrupa en este capítulo las mentes rectoras de la música levantina y balear. No se le escapa al autor de estas consideraciones, que tal criterio sistematizador puede producir confusión acerca de la similitud (o en su caso disparidad) espiritual existente en diversas regiones que integran la zona levantina y las Islas Baleares, pero es que, aunque estimo incuestionable que la vida en los principales núcleos de fermentación de dichas regiones (Valencia, Palma de Mallorca o Murcia) adquiere en cada capital unos rasgos inalienables que podrían dificultar una definición conjunta, no es menos cierto que en sus líneas generales, el ambiente musical de aquellas ciudades transcurre por unos cauces de igual sentido y altura espiritual.

La ciudad de Valencia constituye, dentro de la Península, un centro de vida espiritual con un perfil y unas características tan particulares que llevan en cada manifestación la inconfundible contraseña de una singularísima personalidad. Si en el transcurso de su habitual vivir, el especial temperamento valenciano se plasma en un estilo diferenciado de vida, éste, a su vez, tiñe las más importantes expresiones culturales —la musical entre otras— de dicho pueblo.

Del ámbito vital levantino en su estrato popular son una serie de manifestaciones que sólo se dan en la tierra valenciana. El estrépito de las tracas, las fallas y su espectacular destrucción, la cerámica popular, en cuyos cántaros aparecen abigarradamente mezclados las naranjas, la barraca, el Miguelete y la paella, esta suma de expresiones de signo eminentemente realista se traducen, al pasar al área cultural, en la manifestación de un arte, esencialmente marcado por un singular apego a las formas y contornos concretos que en una hipotética clasificación estética adopta la denominación de "realismo" y que es, a la postre, la constante representación o imagen del mundo tangible e inmediato que circunda la vida cotidiana de dicho pueblo. En tales representaciones, la imaginación, en su más elevado sentido, juega muy escaso papel, pero aparece, bajo el disfraz de su hermana menor la "fantasía". A tales premisas estéticas responde la afición de los pueblos levantinos a la música para banda y a las propias bandas como agrupaciones instrumentales, porque tales entidades, juntan en su manifestación sonora, exenta de las medias tintas de la matización (hablamos de un medio popular), un brío expresivo directo, casi diríamos tangible, y un sentido inmediato de la *realidad* musical. Y a las mismas premisas, responden también, en un estadio de superior madurez intelectual, la mayoría de las novelas de Blasco Ibáñez, las esculturas de Benlliure, el descriptivismo poético de Teodoro Llorente y la gozosa expresión de luz que trasciende de los lienzos de Sorolla. Las famosas fallas aludidas, ¿qué son sino una reproducción fantasiosa de unas formas o ideas de un incontestable realismo?

La decidida inclinación valenciana por las formas visuales o plásticas de perfiles concretos y precisos, no sólo aclara en qué área estética se desenvuelve en general la vida espiritual valenciana, sino que además, nos explica su no incorporación, es decir, su indiferencia por las modernas corrientes de la abstracción, y la ausencia total de mentalidades creadoras en tal sentido.

Desde luego, en el sector de la expresión musical, los criterios creacionales mencionados debían desarrollarse por el lado del poematismo descriptivo, pues tal tipo de composición cuadra perfectamente con el esquema mental trazado. La narración objetiva del mundo circundante, primordial cometido asignado al género, no crea problemas de interpretación al auditor, como lo sería, si se tratara de descifrar el paisaje interior del artista. En tal sentido nacen obras como las "Acuarelas valencianas" de López-Chavarri, pongo como ejemplo más significativo de la vieja generación, "Estampas Mediterráneas" de Leopoldo Magenti y "Tríptico catedralicio" de Manuel Palau, para citar las partituras de mayor relieve de la promoción que ahora contemplamos.

El esbozo explicativo procedente, nos suministra suficientes elementos de juicio para comprender y justificar la ausencia en un área cultural determinada (en este caso la valenciana) de ciertas figuras de singular mérito, que si por nacimiento y origen podían pertenecer a ella, se hallan por adopción adscritos a otros ambientes espirituales, o a otras ideologías estéticas.

Ha salido a colación este problema al tratar de la Ciudad del Turia debido a que la zona levantina, no obstante ser una región con un recio carácter, según hemos visto, han emigrado de su seno para vivir en la Capital sus personalidades más notables ; el alicantino Oscar Esplá y el saguntino Joaquín Rodrigo, fenómeno que no se ha producido en otros focos de vida musical peninsular. En Barcelona, por ejemplo, sus figuras más representativas (Mompou, Toldrá, Blancafort), radican esencialmente en aquella población donde no sólo integran su clima musical (en el ámbito de la creación), sino que en muchos aspectos lo han determinado.

Para muchas ciudades castellanas, con precaria actividad musical, Madrid constituye su centro de atracción natural al que afluyen las gentes de sus aledaños al encuentro de un clima propicio para la difusión de su problemática creadora. La fuerza centrípeta madrileña aclara de forma explícita, el desierto espiritual que en lo que a música se refiere, existe entre la Capital y la periferia. Es preciso llegar a Santiago, Oviedo, Santander, Bilbao, San Sebastián, Barcelona, Valencia, Sevilla o Málaga, ciudades todas limítrofes al mar o cercanas a él, para hallar de nuevo síntomas en grado más o menos acusado de inquietud musical. Precisamente por ser hasta cierto punto natural esta inclinación hacia Madrid de quienes proceden de poblaciones con pobre movimiento musical, sorprende mayormente la deserción de algunos compositores como Rodrigo o Esplá de los núcleos que, como Valencia, tienen una existencia musical en activo. El hecho, no obstante, tiene la siguiente explicación: la no inclusión de Rodrigo (y también de Esplá) en esta nota sobre las gentes valencianas de su generación, se debe fundamentalmente a que el "realismo" a que se ha hecho alusión, no encaja con su sistema estético, del quc según hemos visto, están alejados y distantes. Estéticamente Rodrigo, en lo que al grueso de su producción se refiere, se desenvuelve al margen del espíritu musical valenciano, lo que tampoco significa que en su obra las referencias a su país natal no sean frecuentes, cosa particularmente clara en sus canciones. El formato mental de las obras de Rodrigo se contrae por regla general a la fórmula concertante, la cual es poco propicia a las especulaciones del pematismo descriptivo. Estas, al contrario de lo que ocurre con los compositores valencianos que seguidamente estudiaremos, ocupan un lugar muy discreto en la producción general de este compositor. Lo propio decimos de la concepción sonora de Oscar Esplá, cuya elevación conceptual no se aviene con el espíritu, un tanto llano y primario, que deslinda el esquema mental de la exposición artística levantina.

Con el preámbulo antecedente no se ha penetrado (conviene admitirlo) en las distintas facetas del ambiente musical valenciano, pues sólo se ha intentado ofrecer el rasgo más característico de su configuración cultural centrado en lo que hemos llamado *realismo*. Antes de entrar en el estudio del detalle de sus personalidades más distinguidas interesa agregar una nueva precisión sobre la materia y es que, el armazón formal en que se asientan las descripciones del mundo tangible que sirve de punto de partida a sus creaciones, lleva siempre el "marchamo" de garantía que le otorga el aval de la tradición académica. Por regla general, en las obras de los compositores valencianos de esta generación el formato o patrón aprendido en el Conservatorio sirve inexorable e invariablemente de continente a su expresión sonora.

Principal animador de la vida musical valenciana es Manuel Palau (1893), autor fecundísimo distinguido con el Premio Nacional de Música de 1927 con "Gongoriana". En 1936 justo antes de la guerra este compositor dio "Marcha burlesca" y poco después "Mascarada Sarcástica" (1939) y dos sinfonías respectivamente de 1940 y 1944.

Manuel Palau no es solamente el músico que define en gran parte el ambiente de su región, sino que, además, es uno de los autores cuya obra cuenta con mayor difusión en los principales centros musicales de España. Además de su sede valenciana, la obra de Palau figura habitualmente en los programas de conciertos y de emisoras más importantes de la Península.

Los rasgos que mejor delimitan el estilo creador de Manuel Palau son principalmente, su afección por las estructuras tradicionales derivadas de la forma "sonata", su gusto por el trato armónico de entronque impresionista y su simpatía por los giros y ritmos populares de los que con frecuencia hace uso. La preponderancia de uno u otro de dichos elementos en sus composiciones determina en cada caso y por tanto en cada obra, su peculiar definición espiritual lo que a la postre explica la fluctuante posición espiritual que en conjunto ofrece la labor creadora de este compositor.

En las partituras más sobresalientes que ha presentado últimamente Manuel Palau se hace particularmente sensible la oscilante trayectoria estética insinuada. Si en "Tríptico catedralicio" destaca sobre las restantes la nota formalista en "Seis preludios de España" para piano es notoria su voluntad de filiación al disperso y semi-naufragado movimiento nacionalista al que, a pesar del esmero y corrección de su factura no inyecta nuevos valores. En obras como "Concierto levantino para guitarra" (1947) la proporción entre los factores reseñados, conduce a una partitura equilibrada y de gran claridad en su expresión. El espíritu que trasciende de la obra, halla en la forma concertante escogida y en su inteligente desarrollo la pertinente base narrativa, la cual, unida al certero trato instrumental del conjunto, determina que este concierto sea una pequeña pieza maestra, en su género, que ocupa un puesto preeminente en el catálogo de las obras contemporáneas en las que la guitarra cumple un cometido concertante en oposición a un reducido, pero apropiado complejo orquestal.

Menor atractivo ofrece la "suite" orquestal "Tríptico catedralicio", plenamente encuadrada en el poematismo sinfónico propio de principios de siglo, con el agravante de que la obra comentada es del año 1957. En los distintos números que integran "Tríptico catedralicio" ("Rapsodia litúrgica", "Lírica deprecación" y "Gárgolas animadas"), el evidente alarde de su pirotecnia orquestal (en la que está presente la gran lección de Rimsky-Korsakoff), no logra cubrir la endeblez e inconsistencia de unas ideas musicales muy primarias que no guardan proporción con el boato instrumental utilizado en su traslado.

La obra pianística de Palau, tanto la producida antes del último armisticio, como la concluida con posteridad a aquel evento, tiene un carácter distinguido y discreto, entendido este vocablo en su más justa y noble acepción, es decir, de justa e ingeniosa.

En este epígrafe de su producción, Palau se mantiene en una línea expresiva ceñida a unos criterios que, a pesar de su limitado alcance espiritual, agradan y atraen por la naturalidad de su sintaxis y la espontaneidad de su fraseo.

Otro puntal de la vida musical valenciana es Leopoldo Magenti (1898), cuya producción es un ejemplo típico de la expresión sonora ceñida a su horizonte provinciano, término con el que no pretendemos dar una estimación peyorativa a su obra, sino simplemente determinar el alcance estético que califica la generalidad de sus composiciones.

El descriptivismo de las partituras de Leopoldo Magenti, con su detalle propio de la pintura naturalista, es imagen de una intención estética que tiende más a evocar paisajes o a sugerir unas escenas en las que la música juega un papel puramente accidental, que a expresar una problemática de orden sonoro, por lo que la anécdota que sirve de motivo inspirador, ocupa un plano preferente.

"Estampas Mediterráneas" es una de las más representativas "pinturas" de Magenti. En dichas estampas, el compositor se complace en apurar las posibilidades expresivas de su dedicación estética, por lo que los resultados de su actitud "naturalista" guardan proporción con el modesto y limitado propósito espiritual que actúa de motor en la creación. De la ausencia de inquietud tonal de su contexto, trasciende un escaso interés, cifrado únicamente en su correcta realización y factura. Son dignos de mención, porque ilustran acerca del propósito de su autor, los títulos con que distingue las distintas partes de la obra "Crepúsculo en Mallorca", "La pavana de Valencia", "Idilio en el Peñón de Ifach" y "La Costa brava".

Leopoldo Magenti, que desempeña una importante función docente en el Conservatorio de Valencia, ha escrito en la última década una muy breve obra de signo pianístico, cuyos principios estéticos en nada difieren de los que informan su producción anterior.

Más entroncada y vinculada a las experiencias musicales peninsulares, se hallan la personalidad y la producción de Vicente Asensio (1903), quien en unión de su esposa, la compositora Matilde Salvador, llevan a cabo una interesantísima labor conducente a dotar de un tono europeo y en definitiva universal, a sus realizaciones y a liberar a la música valenciana del estigma provinciano, nota, que al socaire de la naturalidad narrativa, ha ahogado y puesto cortapisa a muchos autores con posibilidades.

Vicente Asensio, más joven que M. Palau y L. Magenti, representa dentro de la música valenciana, la actitud espiritual que, sin renunciar a expresarse con giros y ritmos de color netamente regionales, intenta otorgar a su obra una superior intención al incorporar a la misma el producto de las más significativas y recientes experiencias sonoras europeas continuadoras de la tradición tonal. No figuran, por tanto, en el programa estético de Vicente Asensio las manifestaciones que, como el dodecafonismo y sus derivados, han roto con el sistema tradicional.

En el estilo de Vicente Asensio el localismo actúa siempre en función restrictiva, a manera de certificado de origen de la obra, nunca como elemento o fin esencial de la misma. Si el precedente de Falla es ocasionalmente sensible en la manera de este compositor, no por ello pierde su producción el personal matiz que su instinto creador le otorga.

Entre las más recientes producciones de Vicente Asensio, encontramos unas páginas de cámara, de precisa y minuciosa factura, como "Cuatro sonatas antiguas para violín y piano" (1954), diversas partituras orquestales de las que destacamos "Suite", de 1948, "Sonada alegre", fechada en 1954 y "Pastoral", de 1950.

En el sector escénico, Vicente Asensio dio en el breve lapso de cuatro años, tres importantes partituras : "La Maja fingida" (1957), "Tríptico de Don Juan" (1954) y "Llanto a Manuel de Falla" (1953), todas ellas con destino a ballet.

Más cerca de la actitud conservadora y tradicional propia de Manuel Palau, que de la moderamente innovadora de Asensio, están las realizaciones de José Moreno Gans (1897), acerca de cuyas intenciones y propósitos expresivos ilustran los títulos de algunas de sus obras pretéritas como "Pinceladas Goyescas" (Premio Nacional de Música de 1928), "Dos Danzas valencianas", "Sinfonía de estampas levantinas" y "Algemesienses".

La anécdota pintoresca o literaria que anida en dichas obras, nos indica la limitación de su propósito. En su obra sinfónica abundan las denominaciones de corte clásico como "Sinfonía en la" y varios conciertos (para piano y para violoncelo) señaladores de una voluntad de especulación sin cargas ajenas al cometido esencialmente musical.

El ballet "La mariposa" (1956) pertenece a la última serie de composiciones ofrecidas por este autor.

Un compositor de positivo interés del área musical valenciana en la promoción estudiada, es Rafael Rodríguez Albert (1902), que ha adquirido merecida notoriedad merced al pulcro diseño de sus piezas para conjuntos de cámara y por su obra pianística. Es notable en el plano orquestal su obra "La ruta de Don Quijote", que lleva fecha del año 1948.

Las más importantes obras que Rodríguez Albert ha dado en los últimos tiempos son sus canciones con acompañamiento de guitarra compuestas sobre poemas de Lope de Vega (1949), además de "Homenaje a Manuel de Falla" (1945) para piano, "Sonatina" (1955), también para piano y su "Quinteto con clarinete" (1956), en cuyas páginas queda patente la corrección de trazo y de factura de las mismas.

La gran personalidad de José Iturbi como pianista, ha ahogado su fina condición de creador en la que ha dado páginas como "Canción de cuna", de exhuberantes sonoridades y de positivo interés armónico.

En la actualidad y después de una brillante carrera de concertista, José Iturbi ejerce el cargo de director de la Orquesta Municipal de Valencia.

Al sur de la región valenciana las provincias murcianas han dado modernamente dos importantes figuras, protagonistas de la vida musical española pero que no pertenecen a la generación que estudiamos. A Bartolomé Pérez Casas ya lo hemos encontrado al considerar las gentes de su promoción. La juventud de Narciso Yepes obliga a incluirlo entre los elementos de las últimas avanzadas en el ámbito de la interpretación, si bien conviene dejar sentado que ha dado una interesante obra con destino a la guitarra.

* * *

Toca, finalmente hablar de la participación balear en los pronunciamientos de la generación estudiada. Jaime Mas Porcel (1909), el P. Juan M.ª Thomás (1896) y Baltasar Samper (1888) son los nombres de las personalidades que en forma más decisiva han contribuido a crear un ambiente musical en las Islas. Mientras los dos primeros son los mantenedores en la actualidad de una vigorosa corriente de manifestaciones musicales, a Baltasar Samper le cupo el honor de haber dado las obras más importantes y significativas de la música mallorquina contemporánea. Dicho compositor causó auténtica admiración en los medios artísticos del país en los años que precedieron al derrumbamiento de la República, al presentar sus "Canciones y danzas de la isla de Mallorca", partitura hoy injustamente arrinconada de nuestra vida musical pública pues por su calidad podría figurar en una hipotética antología de los logros orquestales que dio la música española en el decenio 1930-1940.

Similar suerte que la atribuida a la indicada partitura, ha seguido su autor. En nuestros días, Baltasar Samper, que ejerce funciones docentes de orden musical en la capital de Méjico, se ha mantenido alejado de toda manifestación pública. Las tareas que como compositor pueda haber emprendido en este último período no han traspasado el umbral de su intimidad, y, en consecuencia, las postreras derivaciones de sus criterios creadores son ignorados por las gentes que aquí en España se interesan hoy por las cuestiones musicales.

Sin ningún género de dudas, es en nuestros días el P. Juan María Thomas (Palma de Mallorca, 1896) la personalidad que mayor relieve e importancia otorga a la vida musical balear y ello en gran parte debido al doble linaje de actividades desarrolladas por tan importante figura ; Juan M.ª Thomas, a la vez que compositor de finísima línea, es director y alma de la "Capilla Clásica de Mallorca", agrupación coral que ha dado en las Islas las más significativas obras de la polifonía clásica y moderna.

En la lista general de la producción de Juan M.ª Thomas la música coral ejerce una total hegemonía sobre los restantes géneros en los que, sólo excepcionalmente, tiene cabida la formación orquestal. En el sector instrumental de la producción de Thomas se alinean principalmente obras para órgano y clavicembalo con exclusión de formaciones de cámara y otras combinaciones similares.

La más reciente contribución de Thomas a la música contemporánea se concreta en sus páginas corales "Villancicos españoles para un nacimiento barroco" (1953), "Homenaje a Juan Ramón y Zenobia" (1957) y "Música para el festival de Bellver" (1953), para orquesta, coro y solistas, páginas que denotan su preciso conocimiento de las posibilidades expresivas del coro, las cuales son aprovechadas por su autor para obtener un óptimo rendimiento de las mismas. El P. Juan M.ª Thomas manipula la materia sonora conforme a los cánones tradicionales y en sus partituras la finura de su estilo está frenada por la prudencia en incorporar nuevos procedimientos a sus realizaciones.

En el terreno no vocal, su producción más reciente se centra en varias piezas para instrumentos de tecla, órgano y clavicembalo principalmente.

Conviene finalmente destacar que el P. Juan M.ª Thomas es autor de un sustancioso libro en el que se relatan interesantes pormenores acerca de la vida y personalidad de Manuel de Falla, obra imprescindible para quien quiera profundizar en las calidades humanas y artísticas de aquel gran compositor español.

La música española tiene en la figura del compositor Jaime Mas Porcel (1909) una supervivencia del legado romántico mantenido a través del culto rendido en Mallorca a la tradición chopiniana. No es sólo el catálogo de obras de Mas Porcel, que incluye un "Nocturno para piano y orquesta", datado en 1951 o el peculiar sesgo de su obra pianística, lo que delata la inclinación espiritual apuntada y nos induce a calificar y a descubrir las reminiscencias románticas de su personalidad, sino que también, la suma de sus actividades realizadas al margen de la composición (pedagógica, concertista), en las que la estela del gran compositor polaco, aparece inequívocamente tanto en lo que a programación se refiere como en lo concerniente al estilo que imprime a sus interpretaciones. Entre otras obras, además de la mencionada, figuran en la reciente producción de Mas Porcel "Dos melodías mallorquinas", la primera de las cuales, "Cançó de bressol", aunque formularia, tiene un positivo encanto poético, y la segunda, "So de pastera", acusa en su brevedad un buen conocimiento del piano para el que está destinada.

Las composiciones de Mas Porcel no obstante su esmerada factura, al erigirse en sistemático reflejo de los procedimientos chopinianos, carecen de personal inquietud y en definitiva de particular interés, al menos desde un punto de mira de actualidad.

CAPITULO VIII

Música y músicos en Vasconia. Compositores de las restantes regiones españolas

En el precedente capítulo han quedado abocetadas las causas de la fuerza centrípeta que Madrid ejerce en el plano espiritual, sobre las provincias y núcleos que por tener un reducido coeficiente de vida cultural son sus tributarios, y las consecuencias que para la vida artística nacional se derivan de tal reclamo.

La lógica y natural atracción que el señuelo de la urbe moderna en general, y en este caso, de la Capital en particular, provoca sobre los puntos que mediata o inmediatamente la circundan, se traduce en una intensa actividad musical y artística madrileña de la que es corolario la paulatina depauperación de los ambientes musicales de las provincias castellanas.

Por otra parte, la calidad de centro aglutinador que ofrece Madrid, obliga a considerar alineados en su esfera musical a un importante contingente de autores cuyas actividades, si bien están involucradas a la misma no han perdido el nexo o vinculación espiritual que les liga a su país o región de origen.

Es cierto, que para muchas provincias o regiones españolas, rige el prespuesto indicado, pero no es menos verdad que junto con Barcelona y Valencia, Bilbao ostenta en las Vascongadas el cetro indiscutible de la generalidad de actividades espirituales y en particular de la musical, sin que ello obste para que el país ofrezca, en conjunto, una recia y vigorosa tradición musical, cimentada por los sólidos pilares que significan tres siglos de actividad sonora que ha determinado el nacimiento y subsiguiente estructura de un ambiente musical de excepción.

La consciente limitación de las presentes notas a las realidades más inmediatas de nuestra música nos fuerza a ceñir a unos lindes precisos y breves la exposición de los antecedentes que han forjado la brillante situación de la música vascongada de nuestros días. Los nombres de los compositores como Oxinagas y otros en el siglo XVIII y de Juan Crisóstomo Arriaga en el siguiente, figuras señeras de la música española en aquellas latitudes históricas, desembocan en las modernas promociones cuyo plantel de personalidades es realmente de excepción (Usandizaga, Guridi, P. Donostia, P. Nemesio Otaño, Sorozabal, etc.) y que, en unión de el "Orfeón Donostiarra", auténtico eje de las múltiples agrupaciones corales del país, constituyen, en su escueta enumeración, los importantes antecedentes en que se apoya la fortísima y civilizada vida musical eúskara.

Esta vida musical, además de estar sostenida por la positiva afición musical de las gentes del país, cuenta en la actualidad con la asistencia de entidad de tan consolidado prestigio como el Patronato "Juan

Crisóstomo Arriaga", fundación que no sólo cuida de la edición de las obras de dicho compositor, sino que además fomenta la difusión de la música vasca o española en general a través de importantes entidades orquestales, entre las que figura en cabeza la Orquesta Sinfónica de Bilbao.

A los hechos y circunstancias reseñados reveladores del hondo sentir musical vasco, debe agregarse la importantísima labor desplegada por las incontables entidades corales invocadas que otorgan a su vida musical un peculiarísimo e inalienable perfil.

Es desde luego el Orfeón Donostiarra la agrupación que ostenta la prioridad de méritos entre todos los coros que confieren vida al ambiente musical vasco, tanto por la perfección que imprime a sus realizaciones como por la fama y renombre que éstas mismas le han ganado. Al amparo de la poderosa influencia de tan benemérita institución, que dirige el maestro Gorostidi, se desarrolla en múltiples núcleos del país una potente actividad coral de la que son ejemplo los coros "Easo", "Maitea", "Orfeón Vergarés", "Coral Eibarresa" y "Sociedad Coral de Bilbao", entre otros.

De esta simple relación de datos "descriptivos" de una situación de hecho, trasciende un estado demostrativo de un alto nivel cultural en el que, a la importancia y número de sus manifestaciones y entidades que en su definición intervienen, debe sumarse la calidad y clase que imprimen a sus realizaciones.

Precisados los anteriores extremos de orden eminentemente formal y objetivo, conviene detallar ahora qué ingredientes de carácter espiritual informan la expresión sonora vasca, es decir determinar "cómo" es su música y qué elementos distinguen su manifestación, de las restantes expresiones musicales de la Nación.

Tal vez contribuirá a concretar el matiz apuntado, la circunstancia de que autores (en el plano literario) de genio tan declaradamente racial como Unamuno, Pío Baroja o Ramiro de Maeztu, pertenecientes a la "generación del 98", vertieran su actividad sobre el panorama nacional, y al fundir su obra con la de los restantes compañeros de aquella generación, estructuraran una nueva espiritualidad hispánica, salida de las cenizas y de la postración en que había parado la decadencia intelectual decimonónica, originada por la desarticulada y desafortunada política del país, que anegó los más vivos valores del pueblo.

En esta activa participación vasca en la vida espiritual española, manteniendo a la par intangibles sus rasgos raciales centrados en un sustancioso laconismo expresivo, radica una de las características esenciales de la manifestación artística de este pueblo. Los miembros vascos de la "generación del 98" contribuyeron a recomponer la destruida faz intelectual de España, pero a la vez sentaron las bases para la creación de su peculiar cultura nacional cuya total definición completaron las promociones siguientes. Señalemos, por ejemplo, que tanto en el grupo literario (Unamuno, Baroja o Maeztu) como en el plástico (Zuloaga) o el musical (Guridi, Usandizaga), a pesar de su intervención en el fenómeno artístico español, el componente racial que late en sus creaciones respectivas gana universalidad, sin perder su relación de dependencia con el país de origen.

No es posible ignorar ni desconocer la peculiarísima entidad social y humana del pueblo vasco, que cobra vida en una serie de instituciones y manifestaciones de signo único en el panorama étnico y cultural de la Península. No se trata solamente de destacar la sin par mecánica de su lenguaje, el eúskaro. La particular idiosincrasia del pueblo vasco se ha proyectado en múltiples manifestaciones cada una de las cuales bastaría para calificar su exclusiva personalidad. Notemos a título de ejemplo el original armazón rítmico de su más conocida danza popular, el "zortzico", con su compás quebrado 5/8 ; los txistularis y versolaris ; su singularidad deportiva centrada en las varias especies del frontón o pelota vasca ; los pormenores de su particular régimen familiar y de su ordenamiento jurídico y, finalmente, para terminar con esta lista de las variantes más relevantes de su talante vital citamos el inconfundible sello de su arquitectura autóctona, datos todos ellos que determinan en conjunto el singularísimo estilo de este pueblo sin parangón posible, cuyo amor a la tradición, el apego a las vinculaciones familiares y su insobornable ligamen a la tierra (los apellidos vascos son en su mayoría toponímicos) indican la íntima trabazón entre el alma eúskara y su alfoz o paisaje inmediato, todo lo cual no sólo no ha dificultado, como a primera vista podría parecer la afluencia de su espiritualidad a la ancha corriente peninsular, sino que la ha vitalizado sensiblemente, con el cruce de su personal savia. Los ejemplos citados así lo aseveran.

El antecedente aldeano de las manifestaciones sonoras vascas del primer momento se concreta en las obras de Guridi, Uzandizaga y P. Donostia en formas y expresiones de significación culta, en las que la nota villana, localista o rural, actúa como referencia y no como substancia.

Los sucesores de dicha promoción musical, no realizan en conjunto una tarea del calibre y de la importancia de aquellos pues limitan su cometido a una actitud conservadora y mantenedora del patrimonio legado al no enriquecer con nuevas aportaciones su primitivo caudal.

Los compositores vascos encargados de concretar musicalmente el pensamiento general de la nueva promoción, es decir aquellos que nacidos con las primeras luces del siglo, iniciaron su carrera musical en el decenio 1920-1930, son principalmente Jesús Arámbarri (Bilbao 1902, Madrid 1960), Víctor de Zubizarreta (Bilbao), Tomás Garbizu (Lezo, 1901) y Rodrigo Santiago, nacido en Baracaldo en 1907.

A mediados de 1960 murió en Madrid Jesús Arámbarri, una de las figuras más destacadas y sobresalientes de la vida sonora nacional en los últimos años.

En el encuadramiento espiritual de esa figura, pasa en plano especial, la función de director de orquesta que preferentemente desarrolló, en detrimento de su labor creadora que inició con diversas páginas de cámara aparecidas en las postrimerías de la Monarquía, a las que siguieron otras de variado trato instrumental y de plural destino (ballet, concierto) de las que ha adquirido singular favor su composición "Castilla" para coros y orquesta, obra asentada sobre un poema de Manuel Machado.

La última fase de la producción de Jesús Arámbarri se condensa en su "Elegía" (Homenaje a Manuel de Falla), compuesta en 1946, y en una zarzuela, "Viento del Sur", que en el catálogo general de su obra aparece con fecha 1952, obra cuyas modestas miras no sobrepasan la intención de ocupar un discreto lugar en el moderno panorama zarzuelero español.

En términos generales, de la labor realizada por Arámbarri en el dominio musical, es la tarea que como director emprendió y realizó, la que mayormente sobrevivirá. La llevada a cabo en el campo de la composición no puede merecernos otra consideración que la de un ejercicio complementario de la mentada función directiva. Arámbarri compositor nos ha dejado una obra correcta y breve, sin rasgo demostrativo de una especial densidad de su personalidad creadora.

En análoga dirección estética que Arámbarri encontramos los compañeros de su misma generación, Tomás Garbizu y Rodrigo Santiago.

Cuenta el primero con una variada producción religiosa y una interesante obra de signo instrumental y vocal de la que entresacamos sus "Canciones vascas" (1954), "Concierto para violín y orquesta" (1956) y Concierto "Mágico".

En la obra de Rodrigo Santiago tienen cabida muy diversos estilos, referidos a otras tantas expresiones regionales de la Península. Su atención creadora, no sólo ha actuado con natural preferencia sobre los elementos musicales que el canto y baile popular vasco deparan, sino que además, movido por la sugestión de la expresión sonora de otras latitudes hispánicas, se ha hecho eco de ellas, y así, la peculiar sinuosidad de la melodía gallega tiene su pertinente traslado en "Bocetos gallegos" (1949) y "Sinfonía gallega" (1952) además de una balada gallega para soprano y orquesta titulada "Chirriar dos carros", que acreditan que los contactos de R. Santiago con la musa sonora celta no es esporádica ni circunstancial, sino que obedece a una positiva inclinación del compositor a encuadrar en la gran forma el breve y limitado, pero sustancioso discurso de aquella melodía popular.

Una de las últimas obras de este autor, cuyas preferencias estéticas están decididamente adscritas a los cauces tradicionales, es su "Elegía" para orquesta escrita con motivo de la muerte del Padre Donostia y en memoria de tan ilustre musicólogo (1956).

Consignemos, finalmente, que el panorama musical vasco debe completarse con la mención de las personalidades de Sabino Ruiz, Andrés Isasi y José de Olaizola, quienes compaginan una inteligente labor crítica con una interesante obra de composición.

Ya se han considerado en otro lugar las circunstancias que determinan la afluencia a la Capital de aquellos valores y figuras que nacidos o radicados inicialmente en poblaciones carentes de un nivel cultural propicio al cultivo y desarrollo de la música, se ven en la precisión de hallar en las más dilatadas posibilidades de expansión y difusión que de sus creaciones ofrecen los núcleos de gran aglomeración ciudadana como Madrid, el campo natural para desarrollar sus actividades.

En el sector musical, encarnan principalmente en la generación contemplada, el trasiego intelectual apuntado las personalidades de Angel Mingote (Daroca 1891—Madrid 1960), Gerardo Gombau (Salamanca 1906), Duo Vital (Castro Urdiales 1901), Esteban Vélez (Burgos 1906), el P. Ignacio Prieto (Gijón 1900) y José M.ª Franco (1894, Irún).

Los pormenores de las creaciones de algunos de los relacionados compositores han sido ya estudiados al tratar variantes expresivas que presenta en conjunto el conglomerado musical madrileño. Réstanos ahora consignar, que las novedades que depara la reciente obra de Arturo Duo Vital se cifran en sus creaciones "El violín del clown", para violín y piano (1954) y "Quinteto para flauta, oboe, clarinete, fagot y trompa" (1955), entre otras. Es notable la habilidad de este compositor en la utilización de los recursos de las voces humanas tratadas en su expresión coral. En este sentido, son de positivo mérito sus realizaciones de canciones populares de diversas regiones españolas.

En Galicia, Juan José Mantecon (1896), realiza junto con una interesante labor de compositor, unas no inferiores tareas en el sector de la musicología.

CUARTA PARTE

LA ENCRUCIJADA DE LA PROMOCION DE LA GUERRA

CAPITULO I

Notas comunes a los miembros de la generación de la Guerra Civil

En el instante en que, en una tradición cultural normalmente evolucionada, habrían cristalizado los nuevos valores musicales que debían aportar un renovado contingente de ideas estéticas a las que, asimiladas por la generación precedente (la recién estudiada), configuraron su peculiar estilo, estalló en el solar español la dramática crisis fratricida que por espacio de casi tres años enlutó la vida, las conciencias y la generalidad de las actividades vitales de la Península.

Al llegar a 1936, la mayoría de las personalidades de la vida musical española que en aquella hora ostentaban la representación de sus tendencias más avanzadas, habían alcanzado el cenit expresivo de sus particulares voces y definido en consecuencia sus peculiares posturas individuales.

El peligro de enrarecimiento de la atmósfera espiritual, creada por los forjadores de la vida musical española —o el de estancamiento de su personales conquistas que a menudo amenaza en convertir en fórmula, el envite y nervio de la inquietud inicial—, parecía en aquella fecha descartado, pues si bien había enmudecido el verbo impulsor de Manuel de Falla, quien después de la ascética concentración del "Concierto" parecía haber agotado la fuerza que guió sus creaciones anteriores, a su lado, el brote y el empuje de las generaciones siguientes, permitían señalar un futuro brillante y fértil. Todo hacía presumir la existencia de una continuidad renovadora, confiada a un grupo de autores que ya en aquella fecha, al poner de manifiesto unos criterios, sin precedentes en el país, habían dejado constancia de un afán y una inquietud prometedora de insospechadas perspectivas. Así, en Cataluña, Joaquín Homs había dado, en 1934, sus "Canciones" para piano y soprano compuestas sobre poemas de J. Carner, mientras que su "Dúo para flauta y clarinete" (estrenada en el XV aniversario de la S.I.M.C.), data del año 1936.

Por su parte, Xavier Montsalvatge, que aún no había hallado su "camino de Damasco" en la estética "antillana" que informa buena parte de su obra, obtuvo en 1934 el premio de la "Fundación Rabell" con "Tres impromptus" y en 1936 el "Premio Pedrell" con "Petites peces burlesques", páginas por las que transita un hálito fresco compuesto de esencias francesas (léase, "grupo de los seis") y strawinskianas.

También Rafael Ferrer había en 1936 comparecido en la palestra musical con interesantes realizaciones.

Por su parte, Matilde Salvador, Vicente Garcés, en la zona de Levante, en las vigilias del Alzamiento habían dado fe de una nueva presencia en la vida musical valenciana. Las obras de Matilde Salvador "Com es la lluna" para coro mixto y "Alba lírica", están datadas respectivamente en 1933 y 1936. Otro tanto ocurre con los elementos madrileños, entendiendo por tales aquellos cuyas primeras manifestaciones tuvieron por sede la Villa y Corte, entre los que contamos a Esteban Vélez, de Burgos (1906) y a Gerardo Gombau (Salamanca, 1906), quienes en las vísperas de la guerra civil entraban en la etapa de su madurez creacional.

Desde luego, con unas generaciones con sus valores consolidados y en marcha, y con una nueva promoción asomando en el horizonte, dispuesta a entrar en la liza musical y a dar la batalla de una prudente intolerancia, podían asegurarse las perspectivas de continuidad para el futuro, y se podía por tanto apostar, sin riesgo aparente de pérdida, que el destino inmediato, pocas sorpresas de cariz negativo reservaba a los años venideros. Estas esperanzadoras perspectivas fueron brutalmente segadas por el tristísimo episodio de la lucha civil (1936-1939) al que siguió una no menos desolada post-guerra, la cual, a su vez, estuvo agravada por el aislamiento experimentado y sostenido por la Península durante las calamidades derivadas de la última conflagración universal (1939-1945), que al originar la desintegración de nuestra vida cultural y su falta de ventilación, determinó la momentánea suspensión de su impulso creador.

En la constatación de los hechos antecedentes no se intenta determinar, ni tan sólo fijar, cómo influyeron aquellos acontecimientos en las generaciones ya conformadas, ni en qué medida intervinieron en el cambio momentáneo de rumbo de sus peculiares realizaciones, pero sí se pretende denunciar en qué grado el marasmo originado por dichos eventos, impidió la cristalización en grupo cohesionado y articulado, las distintas actitudes de los miembros de la novísima avanzada que se anunciaba.

Tenemos que llegar a los años centrales del cuarto decenio del siglo, para que aparezcan los primeros síntomas serios que autoricen a hablar de la recomposición de las diversas piezas del universo cultural español y que, en relación a la promoción que ahora consideramos (la más afectada por la persistencia desorientadora causada por la inestabilidad de aquellos años), resulta difícil en extremo, por no decir imposible, hallar un indicio o rastro de un criterio "nominativo" que cohesione y otorgue sentido unitario a las latentes fuerzas expresivas que se ignoraron durante tan prolongado período y que carecieron, según veremos, del común definidor de su momento.

Si en el transcurso de los años 1936-1945 enmudecieron casi todas las voces de las generaciones consolidadas (con la excepción de Joaquín Rodrigo), las de la nueva generación, las que normalmente habrían comparecido en el quinquenio 1935-1940, quedaron congeladas, sin posibilidades de desarrollo y sin dar en suma, fe de vida.

Es necesario entrar en el período siguiente para que los compositores de esta desarticulada promoción puedan terminar con su forzado silencio.

Conviene tener presente que entre 1945 y 1950 la mayoría de los compositores que en el momento de estallar la guerra civil habían hecho sus primeras armas musicales, orillaban los treinta años, pues las respectivas fechas de nacimiento de Homs, Montsalvatge y Ferrer, son 1906, 1912 y 1913, siendo las de Francisco Escudero, Moreno Bascuñana, Matilde Salvador las de 1913, 1909 y 1918 y la de Asins Arbó 1916.

La denuncia de tal circunstancia es importante,

pues permite presuponer que a dicha edad, las inclinaciones estéticas de cada autor están, si no definitivamente configuradas, sí en estado muy avanzado de estabilización ; que debido a las circunstancias aludidas, cada individualidad creadora ha vivido, elaborado y estructurado solitariamente su peculiar vivencia expresiva, desconectada del calor que la compañía generacional que todo grupo compacto comporta ; que ha ignorado por tanto la existencia de las inteligencias coetáneas y que no ha podido beneficiarse del intercambio de ideas que al iniciarse todo movimiento espiritual comparece y vitaliza, a la vez que define, la conciencia estética del grupo, en el cual, si bien sus componentes mantienen sus peculiares puntos de vista, disponen de la fuerza que la extraña ósmosis espiritual del manifiesto del grupo les confiere (incluso en el supuesto de estar expresado tácitamente) al vincular a sus miembros una especie de parentesco estético que, a pesar de las divergencias de criterio, otorga a cada autor la fuerza tutelar del clan familiar.

Un ejemplo claro que ilustra acerca de la fuerza integradora del grupo, nos los proporciona la figura de César Cui. Este compositor ruso, que no se distinguió por su peculiar talento y originalidad y cuyas producciones son raramente conocidas por el auditor actual, ocupa en cambio un lugar distinguido en la historia de la música contemporánea por el hecho de haber contribuido a definir la actitud estética de un grupo (el de "Los Cinco"), en el cual, a su vez, se concretó (con la excepción de Tschaikowsky) lo más representativo de la música rusa de la segunda mitad del siglo XIX. Desde luego, no se pretende significar con las anteriores palabras que la mera adscripción a un determinado bloque estético, comporte la concesión de una carta de gracia y de valor a sus componentes, pero lo que sí parece ser cierto (y el ejemplo anterior abona tal hipótesis) es que la pertenencia a un determinado equipo, además de definir y perfilar el estilo de las realizaciones del grupo imprimiéndole carácter, fija la clase y jerarquía de sus componentes asignando a cada uno de ellos el puesto que le conviene en función al valor de sus aportaciones. Repetimos, la fuerza cohesionadora del grupo, no alcanzará a otorgar un salvoconducto estético a mediocridades, pero su potencia integradora, al conferir a cada uno de sus miembros el espíritu común merced a las recíprocas prestaciones de sus personales experiencias, determina su situación dentro de aquel equipo (hablamos desde luego de equipos rectores) y en consecuencia permite salvar a quienes, con positivos e iguales méritos habrían naufragado en el anonimato de los francotiradores espirituales. Si hoy son raras las personas que recordarían a César Cui de no haber integrado el grude los "Cinco" en Rusia, ¿quién pensaría en Louis Durey si su nombre no hubiera figurado al lado de los de Honegger, Milhaud y Poulenc en el parisino grupo de *los seis*?

Los principios articulados que dan forma, coherencia y sentido al propósito colectivo de un grupo, faltan por completo en la promoción que ahora consideramos, que se nos presenta en consecuencia como un conjunto inorgánico de interesantes individualidades.

Al tratar de esta promoción en Cataluña, por ejemplo, observamos que los procedimientos y la intención estética de Montsalvatge aparte de no guardar relación alguna con los presupuestos espirituales que informan las obras de Miguel Querol (1912), Joaquín Homs o Rafael Ferrer, no mantiene con ellas más vinculación que la identidad de época de aparición sin otro nexo que las ligue. Lo mismo podemos decir en relación con la obra de Nin-Culmell (1908), cuyas primeras muestras, datadas poco antes de la caída de la República, no presentan vinculaciones estéticas con aquellos compañeros de su agrupación.

Idénticas reflexiones nos invita a hacer la contemplación de los más interesantes compositores de la heterogénea avanzada surgida en otros rincones de la Península inmediatamente después de la guerra civil. Ni en las personalidades de Moreno Bascuñana, Asins Arbó, o Francisco Escudero, ni en las de Gombau o Javier Alfonso, que constituyen el frente más interesante de autores que, habiendo dado muestras de su obra justo antes de la guerra, no se manifestaron plenamente hasta después del año 1940, hallamos rastros ostensibles de comunidad conceptual indicadora de una voluntad de expresión unitaria.

Pero hay más, y ello es notoriamente de superior importancia. Fijémonos que hasta ahora se han simplemente señalado las causas y los datos que de forma más directa e inmediata contribuyeron a desarticular los distintos componentes de esta promoción, haciendo de ella un complejo de individualidades sin vínculo sensible de parentesco espiritual. A todos ellos se extraña la experiencia ajena o, mejor, la de sus coetáneos.

Es preciso fijar ahora nuestra atención en otras circunstancias que con independencia de las indicadas han actuado como elemento disolvente o desintegrador de este grupo de transición.

Ya hemos ponderado en otro lugar [1] el enorme viraje que en todos los órdenes del pensamiento se ha

---

[1] Capítulo III de la primera parte.

operado en los últimos veinticinco años en la conciencia de la cultura europea y en el seno de la llamada civilización de Occidente. Si la conducta intelectual de Occidente ha experimentado después de la última contienda universal quiebro tan sensible, que ha puesto en tela de juicio la generalidad de los principios sobre los que se asienta el edificio mental europeo, en el campo de la expresión musical, los fermentos contenidos en los enunciados estéticos de Alejandro Scriabine y de Schoemberg han infiltrado en los años centrales del siglo la duda acerca de la potencialidad creadora, del sistema tonal, duda extensiva a sus reservas de fecundidad.

Los compositores a quienes la guerra civil y la subsiguiente conflagración mundial, alcanzó después del embate de la primera juventud, se hallaron ante un caudal ideológico de tan rara factura y composición, cuya radical novedad, constituía el principal obstáculo en la captación de sus valores y significado. Notemos que si en muchos artistas españoles de todas edades, la aceptación de los valores y principios contenidos en la herencia de los maestros de pasadas generaciones impidió y dificulta aún, no ya la comprensión, sino la admisión de las nuevas ideas, en los compositores de la promoción el estudio de la cual acometemos seguidamente, el influjo de la falta de correlación entre el mundo histórico del inmediato pretérito y las novedades de última hora, se hace particularmente agudo, pues su irrupción en la escena musical y la presentación de sus programas tallados según los cánones de los "viejos" sistemas, tiene lugar en el preciso instante en que se decreta su caducidad.

En la promoción que contemplamos son contados los autores que han sintonizado y aprehendido la exacta significación de los nuevos métodos y sistemas de sintaxis musical, lo que no impide que tales novedades se infiltren moderadamente en la obra de dichos autores incluso en aquellos que no participan plenamente en la nueva comunión sonora lo que a fin de cuentas puede significar que no se ha desoído el toque de atención que pone en cuarentena la legitimidad de seguir laborando en los vetustos surcos de los métodos tradicionales. En estos compositores, se acusa el problema denunciado por Boris de Scholezer y Marina Scriabine al decir: "Expresada la duda, es ya imposible escamotearla para recobrar la tranquilidad de conciencia e imposible ignorar el malestar profundo que causa y acentúa de día en día. Abierto el debate, nadie puede ignorarlo ni aquellos que jamás habían sentido inquietud alguna y se encuentran inmersos en la polémica contra su propia voluntad" [1].

Esta promoción dañada por los eventos universales referidos y que según hemos visto carece de los beneficios de la "asociación generacional" no captó además, que una profunda transformación se efectuaba en el seno de la sociedad europea que debía forzosamente afectar sus criterios de creación. Sólo unos contados compositores —según veremos— atendieron la llamada para conferir su contraseña personal a las nuevas ideas. Ahora bien; no es esta la sola generación de las surgidas después de 1940, que ha ignorado la presencia de inéditas vías a la expresión sonora, pues en las aparecidas con posterioridad, no siempre es muy firme la huella de las nuevas ideas y la inquietud por remozar el lenguaje, lo cual no

---

[1] B. de Schloezer y M. Scriabine, "Problemas de la música contemporánea". Biblioteca Breve. Barcelona.

empece que el conocimiento de tales ideas quede detectado e inconscientemente prendido, incluso en las obras de los que pretenden combatir tan extraña invasión supuesto que —repetimos— se da raramente entre los componentes de esta generación amorfa —en cuanto a grupo— o de transición, que no alcanza a conferir nueva dimensión al legado de las generaciones anteriores.

CAPITULO II

El camino del antillanismo: Xavier Montsalvatge

Al comparecer Xavier de Montsalvatge en la escena musical del país, la vida peninsular había sufrido un colapso de marcada trascendencia en todos los órdenes de su actividad espiritual. Cierto es que este compositor había acometido sus tareas creadoras antes del año 1936, pero no estimamos desencaminado afirmar que no es hasta la cuarta década del siglo que su obra adquiere conciencia y consistencia en nuestro mapa sonoro, primero con ciertas vacilaciones estéticas, más adelante concreto y definido en su propósito expresivo.

En los principios de la carrera de Montsalvatge es perceptible cierto vaivén espiritual al inclinarse su obra, ora hacia los postulados definidores de la estética centralista, ora hacia los principios de transparencia y naturalidad que informan buena parte de la música catalana de la promoción anterior. Vemos así que mientras la "Sinfonía Mediterránea" (1949), el ballet "La Venus de Elne" (1945) y algunas canciones sobre textos de Tomás Garcés son perfectamente encuadrables por su estilo y espíritu en la atmósfera musical del Principado, en la ópera "El Gato con botas" (1947) la utilización de un material popular de clara estirpe castellana induce a considerar dicha partitura adscrita a la escuela de signo español.

Conviene además tener presente que coexiste en las fechas indicadas una porción de su obra no encasillable en las mencionadas etiquetas conceptuales pues con ella intenta unas construcciones de orden puramente musical en las que convergen los criterios de la nuda estructura sonora postulados por Strawinsky y la consciente liviandad del dictamen estético de Jean Cocteau contenido en "Le Coq et l'Arlequin" a los que anima con una personalísima aportación que a la larga generará una nueva proyección estética en nuestra música según veremos.

El punto inicial de la dirección indicada lo tenemos en "Tres Divertimentos" para piano de 1942, cuya factura delata un evidente influjo strawinskyano, pero notemos que la indicada influencia queda ceñida al procedimiento o si se quiere, a la "mecánica de la composición" y que raramente lastra la intención espiritual de la obra. En "Tres divertimentos", tanto el sentido rítmico y melódico como el armónico responden plenamente al estilo personal de Montsalvatge (que de momento más que anunciarse, se presiente y que la perspectiva de su posterior producción se encarga de ratificar) y sólo en su versión para orquesta (procedimiento) aparece un sello strawinskyano que afecta sólo incidentalmente al tono irónico, nostálgico o incisivamente burlesco con que Montsalvatge ha dotado cada una de las piezas que integran los "Divertimentos".

El factor anunciado determinante de la personalísima vocación espiritual de este compositor, se halla equidistante de las posiciones estéticas apuntadas al iniciar el examen de su obra. En el contenido espiritual de su más personal postura, intervienen elementos y esencias de raíz catalana y castellana que tienen su punto de partida "natural" en un nuevo arte, de carácter popular, en cuya definición intervienen por igual ingredientes catalanes y españoles, vitalizados con ritmos indígenas y que nacido hace aproximadamente un siglo en nuestras colonias americanas (Cuba y Antillas, principalmente) se ha mantenido virgen, en estado primitivo. Este arte presentaba una inmejorable materia prima, que será utilizada por Montsalvatge para realizar su obra personal, pues no debemos olvidar la activísima participación que en el pasado siglo tuvo el emigrante catalán en la colonización de Las Antillas y muy especialmente en la isla de Cuba [1].

La posibilidad de trasladar este diminuto e inexplorado universo en el ámbito musical culto, enseña que ya no es necesario abrir nuevos surcos en el terreno cultural español, para intentar una nueva bioquímica nacionalista que supere la labor de Manuel de Falla, ni proseguir en la vía marcada por la genial intuición de Mompou. Montsalvatge, con seguro instinto, crea una obra que gana en color y fuerza al incorporar aquellas esencias a las formas tradicionales, las cuales a su vez quedan revitalizadas con la entrada de aquel aire que sin ser esen-

---

[1] Jaime Vicens Vives, "Cataluña en el siglo XIX". Rialp, S. A., núm. 102. Madrid.

cialmente exótico lleva en su pólen un germen renovador. La cadencia evocadora de la habanera, la ingenua ternura de la canción afrocubana y el ritmo vigoroso de la danza tropical, informarán de ahora en adelante un capítulo importante en la obra global de Xavier Montsalvatge [1].

Ya se ha indicado, que el comienzo de la estética expresada se detecta explícitamente en los "Divertimentos" aludidos *sobre temas de autores olvidados* —agrega el compositor—, auténtica recreación del clima espiritual que los vió nacer. En este debut, el material empleado, o sea los *temas olvidados* está tratado al natural, sin otra manipulación ni pulimento que la derivada de su adecuada e incisiva elaboración armónica.

La obra estructurada, creada completamente "exnovo", confirmadora de la citada dirección espiritual, no tardó en aparecer. Nos referimos a las "Cinco canciones negras" (1946), escritas originariamente para piano y de las cuales más tarde su autor nos dio una jugosa versión orquestal.

En las "Canciones negras" creemos poder señalar un ejemplo típico de los casos que la obra desborda los límites espirituales que originariamente le asignó su creador, o sea que la intención expresiva inicial parece haber sido avasallada y rebasada por el inconsciente empuje del instinto. Conviene situar

---

1 En el siglo pasado Louis Moreau Gottschalk intuyó la riqueza de posibilidades de la música "natural" americana de la que se aprovecharon esporádicamente Albéniz, Manuel de Falla (Cubana) y de forma permanente el compositor vasco residente en América, Pedro Sanjuán (1887), ("Liturgia negra", "Cuadros afrocubanos"). "Las Saudades do Brasil", de D. Milhaud, están en similar línea.

en sus rasgos más esenciales el ambiente musical que precedió la aparición de las canciones mencionadas. Recién liquidada la segunda contienda mundial, perduraba vivo en el ambiente musical barcelonés, el recuerdo de las actuaciones en los años de la República de Marian Anderson, quien en aquellas fechas, a pesar de la intelectualización de su arte, era tenida por la primera intérprete de los "spirituals songs" de los negros norteamericanos, expresión musical que en el período indicado gozaba de especial predicamento entre la sociedad musical de Barcelona. Por otra parte, una de las únicas manifestaciones artísticas de interés que tuvieron lugar en los años de apartamiento musical que se vivieron entre 1940 y 1945, consistió en un recital (1942) de "Cantos espirituales negros" que tuvo un comentarista de excepción, Nestor Luján, quien con singular tino, dibujó los puntos cardinales en que se desenvuelve tan sugestiva expresión artística.

Montsalvatge, que vivió inmerso en el clima musical de la Barcelona de ante-guerra, no podía quedar indiferente ante la insinuante llamada de esta modalidad musical que por su novedad armónica y su riqueza rítmica, representaba un campo de posibilidades cuyo atractivo reclamo no era posible desoír. La fecha de la composición de estas canciones enclavada en las inmediaciones de los eventos mencionados, y el calificativo de "negras" [1] invitan a sospechar, que la idea inicial de Montsalvatge consistió en recrear en el área peninsular el ambiente musical de las colonias negras de Alabama, Georgia y Luisiana en el sur de los Estados Unidos.

---

[1] La titulada "Chevere" es la que presenta una sinuosidad melódica más apropiada a tal adjetivo.

Las consideraciones anteriores vienen en apoyo de la afirmación, que no ha pasado del estadio de una verosímil conjetura, de que la intención que determinó y en suma decretó el nacimiento de las "Canciones negras" fue superada por el instinto y de que el incentivo exótico que en definitiva tenía que informar las "Canciones" se trocó, sin variar prácticamente de latitud geográfica, en una expresión prima hermana de aquella manifestación espiritual, pero en la que las esencias raciales incorporadas por la nostalgia de nuestros colonizadores, la acercaban a nuestra sensibilidad.

Las "Canciones negras" por su ritmo, por su coloradura armónica y por el ambiente que describen, no sólo son una feliz continuación de la tímida afirmación estética contenida en los "Divertimentos", sino que constituyen una original aportación al patrimonio musical del país.

La facilidad del nuevo procedimiento, la novedad que el tema entrañaba y la luminosidad de su peculiar color, podían desembocar en el peligro de que este primer soplo de aireamiento y de renovación se convirtiera en tópico o receta para el futuro. El propio compositor, se encargará de disipar dicho peligro, al hacer evolucionar el germen de su inicial creación. Así tenemos que las obras que nos ofrece posteriormente Montsalvatge dentro de la tónica expresada, presentan un estado de mayor penetración (léase de evolución) en relación a su obra anterior. En "Cuarteto indiano" (1952), título de por sí suficientemente revelador, el camino recorrido en relación con los "Divertimentos" o las "Canciones" es notable, porque si en estas últimas el ambiente o la anécdota se nos ofrece de una manera directa, por el acento, por el ritmo, ya por el giro o la inflexión melódica que con el texto de la canción crean el color ambiental, en el "Cuarteto Indiano" el color es sugerido por el cañamazo armónico y contrapuntístico por las mallas del cual se infiltra imperceptiblemente un estilizado caudal de temática "criolla" que otorga a la obra una perspectiva inédita.

Si el "Cuarteto indiano" carece de la anécdota que en cierto modo califica las canciones, lo que aparenta perder en color lo gana en gracia por la constante sugestión evocadora que trasciende de su juego combinatorio.

En el cenit de la progresión de la obra de Montsalvatge en la indicada línea, hallamos su "Concierto breve" para piano y orquesta (1952), partitura que marca la definitiva entrada de este compositor en la madurez estética y técnica, pues en ella se conjugan inteligentemente los motivos informadores de la oración musical sobre un entramado orquestal de múltiple color instrumental. Los "Divertimentos" o incluso las "Canciones" han quedado lejos en el camino del antillanismo. En la evolución conceptual y práctica del pensamiento de Montsalvatge en dicho orden estético, el "Concierto breve", concluye una importante fase de tal proceso estilizador pues su temática incisiva y nerviosa insinúa su remota ascendencia sin apoyarse ni referirse en la literalidad del documento concreto.

Después del "Concierto", se suspende temporalmente su actividad en el expresado ámbito espiritual que se desarrolla en cambio en la zona de la pura construcción sonora. En un no lejano pretérito, no fue ajeno Montsalvatge a la creación de obras sin otra función que la mera especulación sonora que la dinámica interna de la obra ofrecía. Lo atestiguan las "Variaciones sobre la *spagnoletta* de Giles Farnaby" (1949) para violín y piano.

En el propio sentido hallamos "Poema concertante" para violín y orquesta (1953), la suite "Calidoscopio" (1954) y "Partita" (1958), una de las obras de más calidad sonora de la música peninsular y en la que, a pesar de la escolástica denominación de sus distintas partes (Fanfarria, Sarabanda, Intermezzo recitativo, Finale) y de la utilización de temas tradicionales ("Tres morillas me enamoran en Jaén") no es difícil percibir ante su audición un ligero aroma exótico, indicador de que, conscientemente o no, persiste en la mente de este compositor la idea fundamental que de forma más decisiva determina y define su peculiar perfil expresivo.

En 1947, concluye la ópera "El gato con botas" que representa un intento de situar la ópera en su cauce primitivo, de acción escénica articulada a un desarrollo musical, en el que se revalora la melodía y se le otorga su natural función. En dicha ópera, se actualizan la mejor tradición operística, la de Mozart por su estructura, la de Bellini por la fluidez melódica y la de Rimsky-Korsakoff por el color de su asunto entre grotesco y emotivo. En "El gato con botas" como en las óperas de los autores citados, tiene el ballet un destacado papel, pero siempre con carácter episódico y en perfecta cohesión con el desarrollo escénico-vocal.

Montsalvatge mereció en 1958 el Premio del cincuentenario del "Palau de la Musica Catalana" por su obra para el coro orquesta "Cant Espiritual", compuesta sobre el poema de igual título de Joan Maragall.

En tan importante partitura, la función musical no se limita a la mera ilustración del texto en que se apoya, sino que en la tentativa de otorgar nueva dimensión al perenne interrogante aprisionado en la letra, consigue "interpretar" y en suma trasladar musicalmente la total intención aprisionada en sus versos. La obra fue estrenada por el "Orfeó Catalá" en 1960 bajo la dirección del maestro Luis M.ª Millet.

En el último estadio de su producción hallamos una "Sonatina" (1962) para piano en cuya factura y espíritu está presente la voluntaria ligereza que trasciende de algunos autores franceses del grupo "La Jeune France", especialmente de Jean Françaix, y datada en 1961, figura una "suite" para orquesta de cuerda titulada "Danzas concertantes".

El contorno de la personalidad de Montsalvatge debe completarse con la nota relativa a su función de crítico. Con acertada visión, ha dictaminado desde las columnas del semanario "Destino" y del diario "La Vanguardia" acerca de los problemas que plantea la música contemporánea y ha orientado en todo momento la opinión pública en relación con la calidad de los valores que han transitado por nuestro mundo musical.

CAPITULO III

Principales compositores de esta promoción

Con Montsalvatge, participan en distinto grado en la aventura espiritual de la promoción que estudiamos varios compositores cuyos pronunciamientos estéticos son de tan distinto signo que entorpecen todo intento de reducir a sistema sus múltiples y con frecuencia dispares actitudes. Por el carácter de sus composiciones resulta difícil —según se desprende de las consideraciones anteriores— hallar un principio de unitaria ligazón entre los miembros de esta promoción. Estos compositores son, principalmente, Joaquín Homs, Nin-Culmell, Carlos Suriñach y Rafael Ferrer en la zona catalana. En el grupo central militan las figuras de F. Escudero, Gerardo Gombau, Moreno Bascuñana, Asins Arbó y Javier Alfonso, y en la región levantina las figuras de Matilde Salvador y Vicente Garcés.

En los compositores citados —y en algunos más según veremos— se encarna según nuestro criterio de una forma más ostensible la marca desintegradora de nuestra guerra civil y no en los autores que el Padre Federico Sopeña [1] encuadra en el que llama "Grupo intermedio" que a su juicio comprende las personalidades de Moreno Gans (1897), Rodríguez Albert (1902), Muñoz Molleda (1905), Jesús Leoz (1904) y Jesús Arámbarri (1902), pues estos autores, por su edad (adrede se indica el año de nacimiento) y fechas en que aparecieron sus primeras creaciones, pertenecen e integran la "Generación de la república", de la que sus obras forman la secuela de variantes expresivas que acompañan al grupo rector de aquella generación. La guerra no "coge en plena juventud" (son palabras de Sopeña) ni afecta la producción de dichos compositores en grado superior en que podría afectar a Ernesto Halffter o a Joaquín Rodrigo. Notemos que en 1936 Moreno Gans frisaba los cuarenta años y que Rodríguez Albert, Muñoz Molleda o Leoz hacía días que habían doblado los treinta al igual que sus camaradas de promoción. No es, pues, en plena juventud que les sorprende la guerra, sino al principio de su madurez espiritual. El trágico episodio de la guerra que hostigó por igual a todas generaciones, dislocó las posibilidades de que fraguaran en algo concreto los intentos de quienes por su juventud no habían logrado sazonar sus experiencias. También de ello se ha hablado, por lo cual no insistiremos acerca del detalle de las circunstancias que moldearon la situación de los elementos y miembros de esta generación y determinaron en última instancia las características con que se define su postura en el actual mapa musical de España. Por ello, después de dejar apuntadas las notas relativas al estilo de las principales aportaciones de Xa-

---

[1] Federico Sopeña. Obra citada.

vier Montsalvatge, pasamos a examinar los particulares más significativos de los restantes compañeros de promoción.

El donostiarra Francisco Escudero (1913), que poco antes de iniciarse la guerra civil contaba con una estimable obra de cámara, de la que es calificado exponente su "Cuarteto de arco" (1936), ha seguido los últimos años una trayectoria en la que se alternan obras de signo religioso —como "Benedictus" para voces y órgano y "Misa" para coro, órgano y orquesta— con producciones en las que es ostensible la nota racial vasca. En dicha línea encontramos "Cuatro canciones vascas" para voz y orquesta (1945), "Concierto vasco" para piano y orquesta (1947) y el poema sinfónico "Aránzazu", ultimado en 1956, partitura acogida a las seguridades de los procedimientos clásicos, cuya correcta factura no logra conferir interés a su plan expositivo.

Por su lado, Javier Alfonso, que forma en las filas de la vigente plantilla de pianistas en la que ocupa un lugar preeminente, ha realizado como compositor una labor que se ha concretado principalmente en una obra sensible y de gran corrección, en la que además de una abundante producción pianística de la que destaca su famoso "Capricho en forma de bolero", encontramos sus "Variaciones sobre un tema castellano" y "Concierto para arpa y orquesta" (1955).

Javier Alfonso ha participado también en la ola de compositores que en los años centrales del siglo han dedicado especial atención a la guitarra como instrumento concertante oponente a un conjunto orquestal. En este sector de su producción está una "Suite" en estilo antiguo para guitarra y orquesta (1955).

En análoga línea estética a la de Javier Alfonso, consistente en incorporar a la generalidad de sus creaciones de giros y modismos melódicos, que ya de plano, ya tangencialmente, entran en el camino del tópico entre andalucista y castellano, encontramos la obra de Gerardo Gombau (1906).

Este compositor ha colaborado asiduamente con el espectáculo de ballet español que presenta Pilar López, quien ha realizado un inteligente montaje coreográfico de su "Suite española" que es una correcta estilización en el plano sinfónico del variado mosaico popular español.

Si en "Suite española" la adscripción al tópico popular es por su propia naturaleza en cierto modo obligada, en sus "Siete claves de Aragón" (1955) sobre poemas de Santiago Galindo, el trato del material sonoro encomendado a la voz, es decir, la canción, se halla en perfecta adecuación con el reducido conjunto instrumental en que se apoya tal melodía, dando por resultado una de las páginas más pulcras y logradas en su género de la música española actual, ya que sin desmentir su ascendencia hispana alcanza una perfecta estilización del material sonoro que esencialmente la nutre.

El origen salmantino de Gombau queda plasmado en su "Ballet Charro" (1943). Gombau cuenta también con abundante obra de cámara, de la que debemos recordar su "Sonata" para orquesta de cámara (1953) y "Trío en fa" (1954).

El repertorio de la música contemporánea para arpa tiene en la composición de Gombau "Apunte Bético" una excelente realización.

Sus esbozos sinfónicos "Aires de Castilla" y "Trova de nostalgia", más prodigados, se mueven en una zona formularia sin particular novedad ni atractivo. El primero denota un garbo de origen popular no exento de gracia, y "Trova de nostalgia", de un poematismo descriptivo, está asentado sobre un inteligente trato instrumental.

La independencia de criterios espirituales contenidos en la producción de Miguel Asins Arbó (1916) se traduce en una ausencia de principios estéticos que en definitiva conduce a la "standardización" de sus creaciones en las que por despersonalizadas, difícilmente puede reconocerse la mano de su creador. Creemos que esta actitud, de apariencia negativa, obedece al deliberado y consciente propósito de dicho compositor de otorgar a la función musical cuando sea preciso, cometidos como el de servir de apoyo a otras entidades de distinto rango artístico, y consideramos que es en esta posición de músico, "profesión liberal", donde radica sustancialmente el valor que cabe asignar a la obra de Asins Arbó, quien en su puesto de ilustrador musical o de creador de música adjetiva, ha llevado a cabo realizaciones verdaderamente notables, no por su profundidad, o por el alcance de su significación, más bien limitada, sino por la perfecta adecuación y correlación entre las escenas subrayadas y los medios musicales (temáticos o instrumentales) utilizados para que aquéllas adquieran máximo relieve y significación. A título de ejemplo recordemos el fondo musical de la película "El cochecito", de M. Ferreri, y el de la más reciente producción de Berlanga, "Plácido", en cuyas partituras y con total economía de medios logra plenamente el objetivo apetecido.

La inteligencia demostrada por Asins Arbó al acertar con precisa intuición los medios a utilizar en su música incidental, no la encontramos cuando actúa como creador de música sustantiva. Las muestras que nos ofrece en tal sector son en general unas medianas y desangeladas realizaciones sin carácter ni aliento. Así, su poema sinfónico "Alvargonzález" (Premio Ciudad de Barcelona 1953) se nos ofrece como una obra de un frío academicismo, vacua de ideas musicales, que se engarza en un formulario discurso en el que está ausente toda originalidad. Naturalmente no falta a la obra una evidente soltura en su confección, pero esta pulcritud de factura no alcanza a conferir interés a su total arquitectura.

Miguel Asins Arbó, Premio Nacional de Música de 1950, por sus "Seis canciones españolas" sobre poemas de Antonio Machado, cuenta también con un interesante "opus" de cámara y con abundante producción pianística.

Conviene aclarar que el orden expositivo seguido al tratar de los componentes del grupo central de esta generación no obedece a un criterio de prelación valorativa. Por lo tanto, si tratamos ahora la figura de José Moreno Bascuñana (1909), lo hacemos en pie de igualdad estimativa con sus compañeros de generación.

El descripitivismo poemático que anida en la obra de Moreno Bascuñana anterior a la guerra civil, representado por "Evocación castellana" (1935) y "Cumbres de Gredos" (1936), tiene su versión actual en "Sinfonía rural" datada en 1957, que es sin duda la obra más importante creada por este compositor en los últimos años.

Moreno Bascuñana, junto con sus tareas de compositor, realiza una importante labor docente que se traduce en las enseñanzas que imparte desde su puesto de profesor en la madrileña "Sociedad Didáctico-Musical".

Emilio López (1916), que tiene un original concepto de los problemas concernientes a la música de nuestros días, ha dado recientemente "Fantasía" para piano y su segundo "Cuarteto de cuerda".

* * *

Vistas en sus líneas más generales las orientaciones de los compositores que nutren la vida en la zona castellana, llega el turno de examinar cómo ha cristalizado y qué derivaciones ha tenido en Cataluña el complejo y heterogéneo manifiesto de esta generación, de la que un poco más arriba hemos avanzado los nombres de Joaquín Homs, Rafael Ferrer, Carlos Suriñach y Nin-Culmell, a los que agregamos los de Miguel Querol y Luis Benejam, quienes con otros en grado menor pero con positivos méritos participan en la misma empresa artística de aquéllos.

Al llegar a este punto interesa hacer notar que es en Cataluña donde en forma más aguda se acusa la falta de homogeneidad en los miembros de esta generación, pues mientras los componentes del grupo central, según hemos visto, se nutren con cierta uniformidad de los deshechos del nacionalismo al que no alcanzan otorgar nueva vida y atractivo, en el renglón de compositores catalanes que integran con Montsalvatge lo más representativo de esta avanzada, detectaremos la coexistencia de doctrinas opuestas y extrañas entre sí.

Los primeros pasos de la carrera musical de Joaquín Homs (1906) denuncian muy a las claras en qué mar estético tenía que desembocar su concepción sonora posterior. Su afinidad espiritual con los postulados schoembergianos y con los de Roberto Gerhard, de quien se considera discípulo, determinaron muy pronto la decidida vocación atonal de este compositor, en cuya vía ha logrado elucubraciones de rara pureza y auténtica calidad.

Al parangonar en mi libro "La música catalana contemporania" [1] las diferencias de posición estética que sustancialmente presenta la obra de Homs en relación con la de Montsalvatge, decía que estos compositores de la misma promoción se hallan en un meridiano opuesto, pues mientras en Montsalvatge el sonido es mensajero de la sensibilidad emotiva, en Joaquín Homs tiene un valor en potencia que varía en función de la duración, timbre y colocación en el discurso sonoro. Mientras el credo espiritual de Montsalvatge admite la anécdota-color, el de Homs sólo acepta la anécdota-sonido. El primero no cree en la obra químicamente pura, en tanto que Homs aspira llegar musicalmente a la pureza absoluta. La obra de Montsalvatge es poema, la de Homs es ecuación.

Este vaivén comparativo estimo que ilustra acerca del alcance y significación de las construcciones sonoras de Joaquín Homs, que se ratifica ante la simple enumeración y lectura de los títulos con que distingue sus composiciones. Entre los muchos de su condensado catálogo, entresacamos las que por referirse a obras de reciente factura interesan especialmente al objeto de este ensayo: "Trío para flauta, oboe y clarinete bajo" (1954), "Música para flatua, oboe, clarinete, bajo y arpa" (1955), "Les hores", sobre poemas de Salvador Espriu para can-

---

[1] "La música catalana contemporánea", núm. 283. Ed. Selecta. Barcelona, 1960.

to y trío de madera, "Tres invenciones para orquesta sobre una serie de Webern" (1959) y "Música para siete instrumentos" (1960).

De tales denominaciones deducimos en principio el contenido de su intención estética, que es inmediatamente confirmado con la audición de la obra. Ni una sugerencia extramusical emerge del hábil e inteligente juego combinatorio de las partituras de Homs, en las que no intervienen otros valores que no sean de carácter estrictamente sonoro, pues ni la experiencia personal, ni alusiones literarias caben en su universo artístico y no participan por tanto en la intención expresiva del autor, que usa solamente los contrastes de timbres y sonoridades, y la yuxtaposición de ritmos, como elementos para estructurar una obra afilada, incisiva y dura como un diamante, y que tiene la trasparencia y claridad de esta piedra con sus correspondientes aristas y durezas.

Joaquín Homs, que a pesar de lo dicho no está afiliado a un sistema concreto de construcción musical, siente evidente simpatía por el dodecafonismo, procedimiento que emplea a menudo, sin despreciar por ello las posibilidades de matización y de contraste que presentan los sistemas tradicionales.

Las más recientes creaciones de Homs no ofrecen duda acerca de la postrera orientación de su obra totalmente encuadrada en las últimas derivaciones del sistema serial. En este renglón encontramos "Vía Crucis" (1957) para recitante, cuarteto de arco y timbal, obra en la que obtiene merced a una gran riqueza imaginativa en la utilización de aquel complejo instrumental una gran concentración emotiva, y "Dos invenciones para cuerdas" (1959), que se desarrollan en igual sentido.

La fidelidad de Homs a los principios estéticos que informan su obra y la acertada elección del procedimiento más adecuado al carácter de cada partitura confieren a su labor un carácter personalísimo y único entre los compositores de nuestros días.

Carlos Suriñach (1915), que en las fechas de la muerte de Manuel de Falla se erigió en uno de los principales animadores de la vida musical barcelonesa, emigró hacia 1950 a los Estados Unidos, donde radica y lleva a término una eficacísima tarea de dirección de orquesta que alterna con la composición, grabación de discos y otras ocupaciones relacionadas con el arte del sonido.

Después de "Sinfonía-Passacaglia" (1945), cuya seriedad estructural de cuño teutón denota la asimilación de las enseñanzas de Max Trapp y Suttermeister (sus maestros) enclavadas en la vigorosa línea contrapuntística reinaugurada por Max Reger, la etapa americana de Suriñach puede calificarse como una "etapa andaluza", pero andaluza de *bazaar* a base de explotar el tipismo meridional con destino al norteamericano ingenuo. Frente a títulos tan descaradamente llamativos como "Flamenquería" (1951), "Ritmo jondo" (1952), "Tientos" (1953), "Cuadros flamencos" (1955) y después de la audición de alguna de estas obras ("Sinfonietta flamenca" (1953) se dio en el 1954 en el Liceo de Barcelona) cuesta comprender como un talento musical tan sólido y con tantas posibilidades como el de Suriñach se haya entretenido en confeccionar esta bisutería de oropel, a la que no obstante, no negamos valor por la mañosa habilidad desplegada en su confección.

Es de esperar que el "Doble concierto para piano, violín y orquesta" (1954) y "Concierto para piano, címbalo y orquesta" (1956) (que no conocemos) estén en una senda expresiva en la que la fugacidad del momento ceda paso a una obra de superior consistencia estética, porque el "oficio" y la cotidiana necesidad ha llevado a Suriñach a tal dispersión expresiva que es sumamente difícil rastrear en su obra la esencia de su personalidad.

Admitimos en cambio sin reservas que "Tres canciones y danzas" para piano (1951) es, por la gran clase de su factura, la concisión de su estructura rítmica y la precisa definición de sus rasgos expresivos una de las más bellas e interesantes páginas pianísticas dadas por un compositor español en los últimos veinte años.

En "Sinfonía chica" (1957), una de sus recientes creaciones, Suriñach persevera en la estética de "exportación", con la variante de que en esta partitura intenta otorgar consistencia formal a una temática extraída o inspirada en la zarzuela, de lo cual proviene el espíritu y nombre de la obra. La liviandad de ideas de la "Sinfonía chica" abona la tesis esbozada en relación con la crisis espiritual que atraviesa la conciencia de este compositor.

Tres aspectos vinculados al orden musical convergen en la personalidad de Rafael Ferrer (1911), cada una de las cuales avala por sí su óptima condición de artista.

Violinista de excepcional clase, une a tal condición un perfecto conocimiento de la orquesta que hace de él un director de singular valor. Además, Rafael Ferrer apuntó en el campo de la composición unos principios estéticos personales y nuevos en el país, magistralmente expuestos en su primera obra de gran formato: "Concierto para violín y orquesta en si menor" (1942).

En 1953 estrena "Suite Mediterránea núm. 1"

(1953), en la que la definición estética del autor —dotar de inéditas proyecciones a la infinita sugerencia musical de la tonada autóctona— está formalmente conformada.

En "Impresiones de Andalucía", obra de compromiso destinada al montaje coreográfico, demuestra haber aprendido la gran lección instrumental que trasciende de "La Valse", de Ravel.

La intensa actividad de Ferrer destinada al mundo del celuloide o la desplegada en funciones de director de orquesta han mermado sensiblemente su papel de creador, limitado últimamente a una interesante serie de canciones sobre textos navideños. A pesar de lo dicho, este compositor da en la actualidad los últimos retoques a una nueva "Suite Mediterránea" que llevará el núm. 2.

La integración de Joaquín Nin-Culmell (Berlín, 1908) a la vida musical catalana se realizó en fechas no lejanas a través de un "Concierto para piano y orquesta" (1946) en el que es perceptible el dictado técnico de Manuel de Falla, con quien estudió. Sin embargo, el entronque familiar de este compositor al ambiente artístico del país se remonta a épocas más remotas, pues a su padre, Joaquín Nin (La Habana, 1879-1949), debemos la transcripción y moderna realización de las obras maestras de nuestro rezagado barroco musical (Padre Antonio Soler, Mateo Albéniz, Freixanet, Gallés, Anglés, etc.).

A pesar de las prolongadas permanencias de Nin-Culmell en el extranjero —desempeña un importante cargo en el departamento de música de la Universidad de California— es indudable la vinculación y participación activa de este compositor en nuestro mundo sonoro, en el que son frecuentes los estrenos de sus obras en los principales focos de vida musical del país.

De la obra de Nin-Culmell, que comprende la mayoría de los géneros de creación musical, son particularmente interesantes sus "Diferencias sobre un tema de Gaspar Sanz" (1953), los dos cuadernos de "Doce canciones populares catalanas" y muy especialmente las "Seis variaciones sobre un tema de Luis Milán" para guitarra (1945). En estas variaciones, Nin-Culmell lleva a término no una labor erudita de reconstrucción arqueológica como del título podría colegirse, sino una auténtica obra de creación musical partiendo de aquella obra de nuestro clásico.

Para determinar las características que mejor definen el estilo de este compositor, debemos situarnos en el origen de su formación musical, al que hemos hecho una leve referencia. El ascetismo armónico de la última etapa de Manuel de Falla condiciona y determina un importante porcentaje del peculiar modo de Nin-Culmell, quien además proyecta su obra hacia otros criterios de positiva concentración al intentar y conseguir un superior rendimiento expresivo con una evidente economía de material. Esta nota adquiere singular vigor en sus "Doce canciones populares de Cataluña" (1957-1958), a las que siguieron una serie de melodías también populares de Salamanca, Andalucía y Cataluña (1960).

Entre las fechas últimamente indicadas concluye y da a conocer su poema-ballet "Don Juan" (1959), obra en la que la sugestión del fin escénico perseguido parece determinar la evolución de su contenido expositivo en detrimento a su cometido musical, las células motívicas del cual ocasionan por su reiteración y escasa inquietud tonal un punto de monotonía expositiva, salvada en gran parte por la excelencia del trato orquestal realizado con mano maestra.

"Tres tonadas" (Mallorquinas) para piano, es una obra pulcra con una realización instrumental de positivo atractivo. Nin-Culmell ha mostrado recientemente especial preferencia por la música vocal en sus variedades coral o con colaboración instrumental. Así contamos sus "Canciones tradicionales cubanas" (1952) y "Tres Poemas de Gil Vicente" (1950). En 1956 compuso la música para las representaciones de "Yerma", de Federico García Lorca.

La personalidad de Miguel Querol (1912) ha logrado destacado relieve y significación en el panorama sonoro de hoy gracias a sus importantes publicaciones y trabajos de musicología, que han situado a dicho autor en un plano preferente en esta especialidad de la ciencia musical peninsular. En tal aspecto lleva publicados los interesantes y trascendentales volúmenes "La Música en las obras de Cervantes" (1948) y "Cancionero Musical de la Casa de Medinaceli" (1950).

Adrede hemos avanzado la condición de investigador de Miguel Querol, porque parece determinar buena parte de su tarea realizada de compositor, la cual es con frecuencia modelada por procedimientos vigentes en pasadas latitudes históricas y responden a actitudes expresivas distantes de las que definen nuestro tiempo. En la obra realizada por Miguel Querol como compositor, de marcada orientación coral, se hacen sensibles sus notables conocimientos contrapuntísticos de un riguroso escolasticismo. Desde 1932, en que está datado su "Plany de David a la mort de Jonatan", hasta nuestros días, Querol ha dado una riquísima variedad expresiva a la música coral dentro del cauce determinado por los cánones estéticos apuntados.

En el catálogo de las obras de este maestro figuran madrigales, canciones, poemas vocales y el oratorio "Salmo CXIV, in exitu Israel de Aegypto", para coro y orquesta de cuerda, página realmente importante. La bibliografía musical maragalliana, tiene en la obra de Querol, "Cant espiritual", una de sus más bellas realizaciones. Esta página coral basada en el famoso poema de Maragall fue concluida en 1951.

A pesar del predominio de la música para voces en la obra de Querol, este autor no ha negligido el cultivo de la música instrumental en la que cuenta con piezas como "Suite estival" y "Sonata romántica catalana", que son las más representativas de su trabajo en dicho sector.

Además de los compositores citados, integran en Cataluña el movimiento musical de la promoción de la guerra civil, el Padre Roberto de la Riba (1912), excelente organista, autor de copiosa música religiosa de carácter tradicional destinada en general al piano y al órgano. Son importantes sus piezas destinadas a este último instrumento tituladas "Suite de Nadal" y "Triptic" y en el ámbito orquestal su "Concierto en re para conjunto de cámara" y "Rapsodia Nadalenca".

Luis Benejam (1914), excelente viola que actualmente vive en América, cuenta con una estimable producción de cámara, y Juan Pich y Santasusana (1911), director de la Banda Municipal de Barcelona, con una estimable colección de "lieders".

Por su lado, Manuel Rodríguez Llauder, que lleva a cabo una precisa labor crítica, ha creado una obra

LUIS DE PABLO

CRISTOBAL HALFFTER

de estilo y carácter conscientemente ligero pero muy apreciable por la naturalidad de su inspiración. En dicho estadio expresivo estrenó en 1961 "Rapsodia sincopada para piano y orquesta", subtitulada "Homenaje a Gherswin", página que es la más importante aportación de un compositor peninsular al género que de una manera un tanto vaga se ha dado en llamar "jazz sinfónico".

* * *

Si bien por su edad Matilde Salvador debería figurar al lado de las promociones de músicos jóvenes aparecidas después de la contienda peninsular, su actitud militante en la vida musical valenciana en los años inmediatamente anteriores a aquel triste episodio le otorga una carta de veteranía que acreditan la temprana vocación de esta artista y justifica la inclusión de su obra en las filas de la promoción que contemplamos.

En efecto, entre 1933 y 1937 Matilde Salvador había iniciado su carrera musical con diversas obras para coro a "capella" y para canto y piano, páginas que constituyen el prometedor antecedente de su brillante producción posterior, en la que la especialidad vocal ocupa un importante capítulo.

De las canciones de Matilde Salvador trasciende un lirismo directo y suave que se apoya en unos esquemas armónicos e instrumentales en los que no están lejos los principios contenidos en la obra de igual carácter de Manuel de Falla a los que dota de nueva y personal dimensión.

En el apartado referido a la música orquestal, Matilde Salvador compuso en 1946 "Plany per la mort de Falla", para solistas, coro y orquesta, pero donde mayores triunfos ha logrado esta artista es en la creación de música en su función escénica. "El segoviano esquivo" (1951) es un claro exponente de su feliz intuición al dar forma a una inteligente partitura que no pierde las calidades inherentes a su discurso sonoro al ser separada del cometido escénico que básicamente se le asignó. "El segoviano esquivo" figura habitualmente en el repertorio de "Antonio" y constituye uno de sus más señalados éxitos.

Además de una considerable producción destinada al teatro ("La enamorada del Rey", "El lago y la corza"), el cuadro de la obra de Matilde Salvador debe completarse con la relación de una breve pero muy elaborada obra pianística concretada principalmente en "Planyivola" (1946) y "Sonatina", fechada en 1948.

Disponemos de pocos datos directos concernientes a las recientes actividades de Vicente Garcés en el área de la creación musical. Sus prolongadas estancias en París han matizado sus creaciones de forma que es perceptible en ellas no sólo el dictado falliano, sino además unos giros armónicos de clara estirpe gala, especialmente raveliana.

La obra de Vicente Garcés si bien no aporta sustanciales novedades a nuestra música, cautiva siempre por el gusto y pulcritud de sus realizaciones, de las que trasciende singular lozanía y gran claridad de dicción: El ballet "Marinada" es ejemplo de ello.

Obra de la etapa parisina (1950) de Garcés es otro ballet y abundante música instrumental.

La concesión en 1958 del premio "Samuel Ros" a la compositora asturiana M.ª Teresa Prieto por un "Cuarteto" de cuerda aportó unas noticias de primera mano acerca de esta artista que tiene fijada su residencia en México, donde trabajó con Manuel Ponce.

Autora de cinco sinfonías, durante su estancia en ultramar (según informa A. Salazar en su libro "La música orquestal en el siglo xx") [1], ha escrito diversas obras entre las que sobresale el poema sinfónico "Chichén Itzá" (1944) y "Adagio y fuga" para violoncelo y orquesta.

El tono de las realizaciones de M.ª Teresa Prieto, a juzgar por el "Cuarteto" premiado, es de una notable naturalidad expositiva amparada por un positivo conocimiento de la materia que maneja, tanto en lo que a concepción formal se refiere como en lo que concierne al trato de la función armónica de "firme entronque clásico", según palabras de Adolfo Salazar. Son dignas de recordar por la corrección de escritura y la belleza de línea sus "Seis melodías" sobre poemas de Ricardo de Alcázar, Juan Ramón Jiménez, F. García Lorca y de la propia compositora.

* * *

De la promoción estudiada, la figura de Mauricio Ohana (Casablanca, 1915) viene a ser como un enclave en territorio francés. Alejado de la inmediata presencia de los problemas que acucian a la vida musical peninsular, Ohana ha mantenido en el transcurso de toda su evolución creadora una constante vinculación con el espíritu que trasciende de nues-

---

[1] Breviarios del Fondo de cultura económica, número 117. México.

tra expresión musical. Las realizaciones de Ohana son música española, pues están hincadas en las más puras esencias la tradición sonora del país. Ante la audición de "Llanto por Ignacio Sánchez Mejías" (cantata para barítono, recitante, coro y orquesta de cámara, 1950), por ejemplo, notamos que estamos ante una obra que por concepto, texto y realización responde plenamente a los principios informadores de nuestra corriente sonora.

En Mauricio Ohana, que ha estudiado en Roma con Alfredo Casella y en París con Daniel Lesur, es perceptible la huella de las enseñanzas instrumentales que trascienden de las obras del período "castellano" de Manuel de Falla, dato singulamente sensible en la mencionada obra sobre texto lorquiano y en "Zarabanda para clavicémbalo y orquesta".

Hallamos en la trayectoria de Ohana una total vocación hacia los asuntos o materias referidas a los movimientos culturales peninsulares. En 1953 termina "Cantigas", para coros y diecisiete instrumentos, sobre poemas españoles de los siglos XIII, XIV y XV. Más adelante da "Títeres de la Heroína fiel", mimodrama lírico para solistas, coro y orquesta de cámara (1954).

Las obras más representativas de su último estado creador se centran en "Concierto para guitarra y orquesta", que lleva como fecha definitiva de su composición 1957 y que Narciso Yepes estrenó en Londres a finales de 1961. De este mismo año es "La verdadera historia de Cobiño", ópera radiofónica sobre texto de Camilo José Cela, partitura que ha merecido el premio de la R. A. I. de 1961.

QUINTA PARTE

LA ULTIMA HORA DE LA MUSICA ESPAÑOLA

CAPITULO I

El juego de las generaciones

> *"Ils sont venus, les forestiers de l'autre versant, les inconnus de nous, les rebelles à nos usages.*
> *Ils sont venus nombreux."*
> ... ...
> "Les Inventeurs"
>
> RENÉ CHAR.

Los vaivenes que experimenta la vida intelectual de un país y la fluctuación de sus valores esenciales, están mediatamente determinados por el grado de su participación en el juego contraprestaciones espirituales que mantiene con los pueblos en cuya sociedad convive y de forma inmediata y directa por el giro o carácter que la regular sucesión de grupos definidores de su espiritualidad, con sus peculiares aportaciones, imprimen a su pensamiento, colectivo. El estudio de la alternativa aparición de alzas y depresiones del pensamiento de un pueblo en un lapso temporal aunque sea breve, nos señala y fija la línea sinusoidal de las oscilaciones del período, el cual siempre tendrá para nosotros la consideración de "un proceso dinámico", de un retazo de historia, con márgenes —inicial y final— variables, según el momento elegido.

Si por un instante, y en puro juego imaginativo, prescindimos de la panorámica histórica —es decir, dinámica— con que nuestra memoria configura inconscientemente cualquier fenómeno de nuestro patrimonio espiritual y eliminamos el tiempo astral —proceso— en el examen de aquella etapa para convertir a ésta en un "todo unitario", cuyas distintas partes suspenden su inercia móvil, la carga dinámica de su función, lograremos merced a la momentánea actitud estática obtenida una mayor facilidad en el examen anatómico del cuerpo social en que operamos del mismo modo que el cirujano utiliza "curare" para inmovilizar el miembro u órgano que tiene que intervenir. La temporalidad alcanzada al parar un punto *sur le flux, jamais le flux lui-même,* según expresión de Bergson [1], y su consecuencia, la inmovilidad lograda del objeto de nuestro estudio, transforman aquel cuerpo histórico en algo cuyo quietismo facilita su disección y análisis.

Fácil es adivinar que el período que hemos paralizado mentalmente, es el comprendido entre 1946 y 1961 y que lo que inmovilizamos en dicha etapa es el proceso de las generaciones musicales, para fijar especialmente nuestra atención en las aparecidas totalmente "ex novo" en el lapso indicado.

De todo cuanto antecede queda sentado que desde la fecha del armisticio hasta nuestros días el cuadro de las diversas olas generacionales puede quedar fijado (así, en sentido literal) en una perspectiva, en cuyo término remoto están Turina y Conrado

---

[1] Henri Bergson. "Evolution créatrice" (Presses Univ. de France, edit.).

del Campo cuyo declive vital y artístico les impide influir en la definición espiritual del período. En plano más cercano, encontraremos la positiva significación y vigencia de los valores de la generación de maestros: Oscar Esplá y Jesús Guridi principalmente.

En evolución paralela, pero su situación más próxima, hallamos las aportaciones de los distintos grupos que integran la "Generación de la República" (Rodrigo, Remacha, Halffter, en el centro, y Mompou, Blancafort, etc., por el sector catalán), de la que son tributarios diversos subgrupos que integran la "generación acumulativa" según expresión de Jaime Vicens-Vives [1] de aquella avanzada.

En la propia panorámica musical figura más acá el heterogéneo conjunto que compareció recién terminada la contienda peninsular. Finalmente, en primer plano aparecerán las aportaciones de quienes (los más jóvenes) surgidos en el seno del período contemplado, intentan abrir nuevas brechas y descubrir inéditos horizontes a la aventura musical española del inmediato futuro. Dicha parcela está ocupada por las componentes del "Círculo Manuel de Falla" (1946) de Barcelona y por la suma de compositores que al mediar la centuria provocaron en el país un ambiente nuevo de inquietud sonora.

Ha sido necesario presentar la descripción (cuasi gráfica) del cuadro antecedente, porque, como señala acertadamente Yves Renouard [2], "es innegable que se ha de poner atención al problema de las generaciones si queremos comprender las fluctaciones su-

---

1 "Cataluña en el siglo XIX".

2 Yves Renouard, "La notion de generatión en historie". Revue historique, 1953.

cesivas de la vida histórica, *sobre todo en aquellos períodos sometidos a acontecimientos considerables —una guerra, una revolución— respecto a los cuales la sociedad reacciona necesariamente*" [1]. Pocas dudas pueden caber respecto a la singularidad del período contemplado, del examen del cual se desprende que las creaciones sonoras realizadas entre 1946 y 1961 por las generaciones consolidadas no aportan nuevo contingente de ideas a colacionar al patrimonio musical español contemporáneo. Su última música, la ofrecida en la etapa contemplada, no es corolario de sus iniciales premisas estéticas: es la misma, descontado un mayor conocimiento en el manejo y utilización del material sonoro.

En este punto, disponemos ya de suficientes elementos de juicio para precisar qué debemos entender por "La última hora de la música española", título que intenta definir la última parte del presente libro.

A nuestro criterio, sólo la música debida a autores que surgidos últimamente y que han intentado conectar sus producciones al compás de los acontecimientos circundantes merece la inclusión en los presentes capítulos. Queda, por tanto, deslindada de tal contenido, la obra de los autores hasta este instante considerada, que es de "última hora", pero sólo en un sentido de temporalidad cronológica, lo que no impide que esporádicamente y con carácter circunstancial pueda merecer otra consideración. Pero también debería quedar al margen de tal conceptuación la obra de autores jóvenes, sin nuevo aliento, pues no siempre el hecho de su reciente

[1] El subrayado es nuestro.

factura constituye garantía de su actualidad o novedad.

La ficción gracias a la cual se ha inmovilizado momentáneamente un instante del proceso cultural español contemporáneo, nos ha permitido diferenciar la simultánea presencia de los diversos sistemas de generaciones que forman el mapa musical del país. Cumplida la función que pretendíamos con la inmovilización del período histórico que constituye nuestro ayer inmediato, conviene dotar nuevamente de vida al instantáneo estatismo del cuadro presentado, a fin de relacionar el proceso formativo de las generaciones más recientes con los antecedentes nacionales o foráneos que han colaborado a su peculiar definición.

Es en el lustro 1945-1950 (según vimos en los primeros capítulos) que empieza a asomar en la vida cultural del país, en todos los campos de su expresión, un espíritu con nueva significación.

En el plano ideológico, un doble complejo de fuerzas actúa en todos los géneros de la expresión espiritual que presentan las generaciones de post-guerra. Por un lado tenemos quienes articulan sus realizaciones con la atracción intelectual el pretérito próximo a cuyos postulados sus cultivadores dotan de nuevas salidas.

Por otra parte encontramos aquellos artistas que intentan implantar, desarrollar y acoplar a nuestra sensibilidad las tendencias y movimientos espirituales que irradiaron de Europa al día siguiente del último armisticio, y que renunciando al sostén del pasado —del que reniegan— crean su obra actual en función del porvenir.

Como norma genérica, apuntaremos que adoptan la primera postura aquellos creadores que si bien no hicieron sus iniciales incursiones artísticas hasta las inmediaciones del quinquenio anunciado, estaban al caer la República en sazón estética bastante para haber captado el ideario que esencialmente informaba la intelectualidad de aquel entonces. La segunda posición, la de la novedad a ultranza, es asumida de forma preferente por los miembros de las jóvenes generaciones que libres de lastre estético antecedente aportan al país las múltiples derivaciones expresivas en que se ha desdoblado en nuestros días la cultura occidental.

Es en el campo de las artes plásticas donde esta dualidad de actitudes creadoras lleva la iniciativa y se hace mayormente ostensible y notoria muy en especial en la pintura y escultura. Ramón Rogent, María Girona, Xavier Valls, Menchu Gal, F. Todó García y Jorge Curós (primera fase) son los calificados portaestandartes que actualizan el figurativismo mientras que Antonio Tapies y Modesto Cuxart, cuyos primeros escarceos pictóricos de temple onírico se desarrollaron en una zona fronteriza con el surrealismo, evolucionaron rápidamente hacia el informalismo (hoy "Art autre") y no tardaron en erigirse campeones y destacados dirigentes de la segunda actitud que agrupa hoy a figuras tan representativas como Román Vallés, el escultor Subirachs y los castellanos Canogar, Villares y Viola.

En la zona musical las dos direcciones descritas están representadas de un lado por Juan Comellas, Alberto Blancafort y Antón García Abril y por muchos aspectos de la obra de Cristóbal Halffter, quienes con variantes expresivas que permiten infinidad de matices, mantienen un arte vivo que se engarza con las más sólidas corrientes de la tradición musical europea, en tanto que por su parte

José Cercós, que inició su itinerario partiendo de los principios informadores del romanticismo teutón, José M.ª Mestres Quadreny, Luis de Pablo, Ramón Barce y Juan Hidalgo, intentan con variable éxito la difícil aventura de crear un arte musical nuevo que surgido de las experiencias de Webern y de los procedimientos de E. Varese y J. Cage traslade a nuestro clima las inquietudes sonoras de la última ola de los compositores europeos integrada por Stockhaussen, Pierre Boulez, Luigi Nono, Maderna, Nilsson, etc.

Notemos que en la plataforma literaria, después de la interesante y fugaz pirotecnia del surrealismo (1920-1933), se guarda una mayor fidelidad a la tradición heredada de manera que en la reciente evolución estilista y formal de los distintos géneros en que se desenvuelve dicha expresión es perceptible la regularidad de su proceso, no truncada por los quiebros conceptuales que detectamos en escultura, música y pintura. Piénsese en las novelas de Camilo José Cela, de Sánchez-Ferlosio ("El Jarama"), de Ana M.ª Matute y en la obra de Goytisolo, en las realizaciones poéticas de José M.ª Valverde, Blas de Otero, Jaime Ferrán o José Caballero, para concluir sin más ejemplos que el departamento de las letras constituye un universo aparte (al menos fundamentalmente en sus criterios formales o de exteriorización) en el que no actúa la dualidad de fuerzas mencionada.

No obstante, una importante excepción a lo dicho en relación con el capítulo literario lo tenemos en el campo teatral en el que una pequeña (pero importante) facción escénica, representada en Cataluña por Juan Brossa y Manuel de Pedrolo que intenta inyectar nuevas proyecciones expresivas a la escena con un sentido análogo a las realizaciones de Ionesco y Samuel Becket.

Los rodeos expositivos efectuados y las incursiones a parajes ajenos a la expresión musical si bien han detenido o demorado el curso de nuestras consideraciones, han servido para ilustrarnos o descubrirnos sobre qué fondo o paisaje cultural se han operado las mutaciones de dirección de la música española que nos es contemporánea, pero dicho fondo cultural se ha abocetado en sus líneas más generales, pues ahondar en la materia implicaría repetir conceptos expuestos en los capítulos que abren las presentes consideraciones. En los que siguen, hallaremos el detalle y los pormenores de las producciones de los compositores que estructuran la última hora estética de la música española.

CAPITULO II

El «Círculo Manuel de Falla» de Barcelona

Si nuestros datos no son erróneos, la primera tentativa realizada en la España de post-guerra de crear un cuerpo o entidad que acogiera las dispersas fuerzas de elementos jóvenes, que recién terminada la guerra mundial pugnaban por salir de la esfera privada, la efectuaron en Barcelona los elementos que se agruparon en torno a lo que decidió llamarse "Círculo Manuel de Falla".

En unos instantes en que la vida general del país, en un ámbito cultural, rompía paulatinamente con la ortopedia del arte oficial y salía de la apatía en que estuvo sumida durante varios años, la misión y propósito del "Círculo Manuel de Falla" no fueron sino la de aglutinar las solitarias actividades de los compositores que no habían tenido ocasión de expresarse públicamente y de facilitar la salida y divulgación de sus particulares creaciones.

Si a la hospitalidad de M. Pierre Deffontaines, director a la sazón (1947) y en la actualidad del

Instituto Francés de Barcelona, debió el "Círculo Manuel de Falla" su primer aliento y refugio, y al entusiasmo de José M.ª Pascual el primer contacto de cordialidad e interés, debemos convenir que Paul Ginard, excelente compositor, residente entonces en Barcelona es acreedor del nacimiento material de este grupo, que centró en aquellas fechas la máxima novedad e inquietud musical de la Península. Cierto que simultáneamente Francisco Calés, por ejemplo, tenía ya en su haber una "Sonata para violín y piano" (1947) y otra para piano, y otros compositores en aquella hora noveles podían contar con similares esbozos, pero no es menos cierto que tales manifestaciones no crearon una conciencia colectiva como la que guió al "Círculo", penetrada del cometido social de inyectar nuevo aire a la vida musical del país. Tengamos presente que las obras iniciales de la carrera de Cristóbal Halffter y las de Luis de Pablo, los más calificados representantes de la nueva ola (en unión de García Abril, Hidalgo y Mestres Quadreny) están respectivamente datadas en 1951, 1955, y que por tanto sus producciones pasan a integrar el más reciente plano de la perspectiva musical española de nuestros días.

El "Círculo" que nació y organizó los primeros conciertos en 1947, si bien no formuló un manifiesto estético concreto, enarboló una bandera que amparaba un programa que en sus rasgos esenciales decía: "No nos constituimos en defensores de una manifestación artística por el hecho de llevar aparejado el calificativo de moderna, ni aceptamos novedades simplemente porque vienen acompañas de propagandas de última hora. Sólo admitimos lo que de sustancial aporta una obra al acervo espiritual de nuestro tiempo, independientemente del credo es-

ATAULFO ARGENTA (Foto Muller.)

EDUARDO TOLDRA

tético a que se halle acogida o del contenido humano que en la misma se incorpore." "No toleramos la obra de arte que intenta escamotear su falta de vitalidad, con tópicos formales o literarios", y finalmente, "No toleramos, en fin, la presencia de una crítica vegetativa, que perdió su horizonte y la idea de su misión social en las redes de un romanticismo trasnochado que tan poca relación guarda con las esencias que el verdadero romanticismo despertó" [1].

Sus miembros (los del "Círculo") no fueron nunca seleccionados entre los simpatizantes de una escuela o tendencia determinada, y así constatamos que en el debut de las actuaciones públicas que tuvieron a dicha entidad por avalista figuraron obras de autores de significación estética tan diversa como Juan Comellas, Alberto Blancafort, Manuel Valls, Angel Cerdá, José Cercós y J. E. Cirlot, José Casanovas y José Mestres Quadreny, entre otros, según veremos en seguida.

Además de la actividad propia de los conciertos con la que se daba noticia de la reciente música del país, los componentes del "Círculo Manuel de Falla" (Juan Comellas, Alberto Blancafort, José Cercós y Manuel Valls con Paul Guinard, integraron la primera compañía de combate del "Círculo", a la que más adelante se sumaron José Casanovas, Jorge Giró, José M.ª Mestres Quadreny, con carácter permanente, y J. E. Cirlot, Antonio Ruiz-Pipó, José Roca y Jaime Padrós con contactos incidentales) emprendieron una labor de apostolado en favor de la música nueva y organizaron una serie de conferencias en los centros y poblaciones más importantes de

---

[1] Revista "Contrapunto", núm. 1, mayo de 1950. Barcelona.

Cataluña. Con miembros del "Círculo" se organizó una "tournée" (1952) que representó en Barcelona, Tarrasa y Figueras "El retablo de Maese Pedro" y con la colaboración de Jaime Bodmer se dio repetidas veces "La Historia del soldado" de Strawinsky.

Dos personalidades importantísimas por su influjo en la vida musical del país dirigieron la formación técnica y prepararon estéticamente la mayoría de los elementos que integraron las diversas fases de la vida del "Círculo Manuel de Falla" : el P. Donostia, que aconsejó musicalmente a M. Valls y Cristobal Taltabull, con quien han estudiado Cercós, Mestres Quadreny, Casanovas y Angel Cerdá. El propio Taltabull orientó un buen sector de la obra de Juan Comellas.

Hecho este sucinto repaso de la actitud y actividad fundacional del "Círculo", conviene señalar ahora el estado actual de las experiencias sonoras de las figuras que integraron su primera promoción, para estudiar seguidamente las de aquellos que con carácter permanente o transitorio vincularon su destino a la aventura emprendida por el grupo inicial.

Comenzaremos por Juan Comellas no sólo por ser el mayor de los compositores del conjunto (entró algo rezagado en el mundo del sonido), sino también por la parte activísima que tuvo en su creación.

La obra musical de Juan Comellas (1913) se presentó por primera vez a la pública consideración en el año 1946 al amparo de un grupo llamado de "Els vuit" (los ocho), formado por pintores, escultores, poetas, en el que figuraron entre otros los pintores María Girona y Alberto Rafols Casamada.

En esta incursión inicial, con páginas como "Homenaje a Ravel" y "Sonatina" (1946), Comellas definió su posición estética, a la cual con ligeras variantes ha mantenido estricta fidelidad en su posterior producción.

En el perfil expresivo de este autor encontramos el primer plano que impone su innato instinto musical, traducido en una personalísima coloración melódica en la que están presentes la totalidad de las esencias de su paisaje regional. Si bien Comellas ha recibido consejos de Taltabull, es por esencia un autodidacta, que impregna su obra de una espontánea y maliciosa ingenuidad, que, teñida de arcaísmos, constituye un disfraz con que oculta su consciente y constante picardía expresiva.

En la obra global de Comellas admiramos y estimamos precisamente su "gusto de la versatilidad" que a menudo presenta, pues otorga a sus melodías —a pesar de alojarse en esquemas armónicos inhábiles, primarios y hasta chapuceros, pero siempre sugestivos— una gracia e intención estética, variada y versátil, simultáneamente ligera y profunda, en la que descubrimos la sensibilidad de un temperamento meridional captador y traductor de los más diversos matices espirituales.

Las voluntarias reminiscencias ravelianas de las obras del año 1946 ceden paso a una concepción musical que a pesar de la versatilidad estética anunciada y de sus deficiencias técnicas presenta siempre una auténtica originalidad sonora. Merece recordarse en este sentido el "Llibre dels sons" (1957) (El libro de los sonidos), cuya primera pieza, representa una sorprendente novedad en nuestro panorama musical.

Comellas, cuya inestabilidad estética le ha conducido a hacer incursiones por los más variados estadios de la expresión musical, como acreditan los títulos de sus obras "Lírica catalana" (1948), "Lírica anglesa" (1951), "Seis tonadas d'Ultramar" (1953), "Homenatge a Manuel de Falla" (1948) y "Homenatge a F. Mompou" (1953), entre otras, representa el enlace entre la promoción del "Círculo" y el espíritu de la generación de la primera postguerra (Mompou) y con la promoción de Montsalvatge, con cuyos autores tiene abundantes concomitancias expresivas.

En el plano escénico es notable su ballet "La Rambla" (1955), en el que se hacen patentes las notas apuntadas referentes a la espontaneidad y a la gracia de su invención melódica.

En punto diametralmente opuesto al espíritu que define la obra de Comellas hallamos a José Cercós (1925).

En una artículo publicado en el año 1947 a propósito de la música catalana de aquel instante, decía de él: "En la obra de Cercós —tal vez el más capacitado de los músicos del "Círculo"— el problema musical desemboca siempre en una solución plástica orquestal. En plena formación estética, alterna la composición con el estudio e investigación de nuevas entidades armónicas que respondan a un nuevo sentido expresivo." "Su producción, que un día arrancó de Wagner, es actualmente personalísima y difícilmente encontraríamos en su obra filiaciones ni parentescos" [1].

Hoy aún suscribimos totalmente las afirmaciones contenidas en el transcrito párrafo, por cuanto la ac-

---

1 "Ariel", "Revista de les Arts", núm. 14. Barcelona, 1947.

titud de Cercós frente al problema creador, a pesar de las recientes derivaciones de su obra, es esencialmente la misma. Lo que ha variado es solamente el *procedimiento* adoptado en función de los objetivos estéticos pretendidos. Estos objetivos forman las diversas etapas de un solo intinerario ideológico, que comienza con Wagner y tiene su terminal en Webern, Werner Henze y Nono pasando por Hugo Wolff, Malher, Schoemberg y Hindemith con su contrapunto inarmónico.

En las presentes fechas persiste en Cercós la preocupación por la búsqueda de nuevas sendas expresivas y en tal sentido diremos que las "entidades armónicas" aludidas en el texto reproducido (escalas con nuevas alteraciones) han sido reemplazadas hoy por unas experiencias que han tomado cuerpo en obras como "Variaciones perpendiculares sobre un tema de Webern" o el "Concierto para trece instrumentos sobre un tema de Mendelssohn" (convertido en serie).

La distancia estética que media entre dichas obras y "Preludio recitativo y fuga" (1948), "Canciones" sobre textos de Salvat Papasseit, la cantata-lieder "Ofrena", "Idilios" o "Preludios ambulantes" (1953) que fundamentalmente llenan la fase en que militó en las filas del "Círculo", es sensible y considerable, pero son sorprendente, ya que lo que ha variado en Cercós no es la idea, sino el procedimiento para trasladar al sonido un inmutable concepto de seriedad y expresividad artística.

Si cada obra de Comellas puede significar, según hemos visto, una alegre y diversa aventura estética, cada nueva composición de Cercós es un nuevo escalón en su formal intento de dotar de estructura y expresión sonora a un mundo espiritual vislumbrado por su personal intuición.

Otro de los compositores que intervino en la constitución y actividades iniciales del Círculo "Manuel de Falla" es Angel Cerdá (1924). La perspectiva de veinte años que tiene de existencia la obra de este autor basta para constatar la progresiva y ascendente evolución de los criterios estéticos que la informan, encaminados a obtener una mayor estilización de su contenido expresivo.

El patrón impresionista en que está inmersa su obra de juventud "Cuatro miniaturas para cuarteto" (1942) es prácticamente abandonado en "Suite para orquesta" (1950) y en las dos sonatas para piano (1951-1953), unas de las mejores páginas escritas en el género en nuestro ambiente musical.

En la madurez de su personalidad, nos da la suite "Platero y yo" (1955) (Premio de las J. M. de 1956) y "Divertimento" (1957), en cuyas obras acredita un sólido concepto de la forma y logra una evidente claridad expresiva. La instrumentación de Cerdá es robusta y la riqueza imaginativa en la combinación de timbres, son factores de que se sirve para trasladar con total eficacia una temática siempre rica en ideas y color. En el ámbito escénico, Cerdá ha dado el ballet "Chica y tiempos nuevos" (1957).

Alberto Blancafort (1928), que militó en la vanguardia del "Círculo" en su años iniciales, dejó Barcelona por París y más tarde se asentó en Madrid donde actualmente está radicado. Su obra, breve pero de una extrema pulcritud y concisión nos presenta un "Concertino de cámara" y una "Sonata para piano" (1955) de inmejorable factura y calidad. Ultimamente ha dado unas interesantes partituras destinadas al cine, pero sus actividades al frente de los coros de Radio Nacional de España y sus tareas de crítico y de director de orquesta han suspendido momentáneamente su labor de creación.

Quien escribe estas líneas integró también la primera fase (y las posteriores) de la vida del "Círculo Manuel de Falla". Figuran en su haber de compositor varias melodías sobre poesías de Rafael Alberti, Juan Perucho, Antonio Machado y Juan Vinyoli ; "Cançons de la roda del temps" para flauta, oboe, clarinete, guitarra, violín, violoncelo y mezzo-soprano sobre poemas de Salvador Espriu ; música incidental para "Primera historia de Ester" (1954), también de Salvador Espriu, "Tema con variaciones a la memoria de Bela Bartok" (1946) para oboe, fagot y cuarteto de cuerda, música de cámara y para piano, "Sonata" (1947) y "Toccata" (1945). Mi obra más reciente, incluye "Psalmo Penitencial" (1957) unos "Estudios concertantes" para piano y orquesta (1958) "Tres piezas para guitarra" (1960) y unos "Estudios sinfónicos" inspirados en el ingenuo maquinismo fijado en los lienzos del pintor Paco Todó-García además de un "Cuarteto de cuerda" (1962).

La personalidad de Juan Eduardo Cirlot, más conocida por su fina condición de poeta y por ser uno de los principales ensayistas y definidores del arte actual, autor de un importantísimo y completo estudio sobre Strawinsky, presentó en 1947, en uno de los conciertos del "Círculo" una obra excelente, "Preludio" para cinco instrumentos de cuerda (cuarteto con doble violoncelo), de decidida filiación atonal, como lo son también sus obras posteriores "Himno" para piano y "Concertino" para conjunto de arco.

Los compositores recién considerados convivieron la iniciales experiencias del "Círculo", las de su etapa fundacional. Pronto se agregaron a ellos José Casanovas, Antonio Ruiz-Pipó y José M.ª Mestres Quadreny quienes apenas nacida aquella asamblea, participaron activamente en sus funciones para otorgar renovado sentido a sus manifestaciones.

Las partituras que encabezan la obra de José Casanovas (1924) acusaron inmediatamente los principios que informan su producción posterior de una concentrada meditación sonora en la que no está lejos la experiencia de los procedimientos de la escuela de Viena. El texto francés de sus primeras canciones (1948) sobre poemas de Baudelaire podría desorientar respecto a la intención expresiva de la obra de Casanovas, pero la base instrumental (pianística) de estas canciones, nos indica claramente cuál es su fe estética que viene seguidamente confirmada por la "Sonata" para violín y piano (1949), por "Canciones a Guiomar" (1952), en las cuales, al igual que las aparecidas más tarde, "Música para cuerdas" y "Sinfonía" (1957) la emoción trasciende directamente de la especial forma de emplear y utilizar el material sonoro (acordes, combinación de timbres o contraposición de ritmos) sin recurrir a artificios expresivos de índole extra-musical.

Casanovas, que realiza también una importante tarea de divulgador y crítico musical [1], ha dado recientemente "Sinfonía para cuerdas" (1957), "Tres pequeñas piezas" para flauta y viola y "Poema de Taüll" (1959, en cuyas obras, con un lenguaje vivo y directo, incorpora a nuestra sensibilidad las técnicas más avanzadas de la composición musical de nuestros días.

---

1 Tiene publicada una "Historia de la música" en colaboración con José Subirá.

Con solamente "Tres canciones sobre anónimos franceses del siglo XVIII" (1955) Jorge Giró (1923) ha acreditado un gusto excepcional de compositor, sensible, agudo y con finísimo sentido del humor. Pero Giró se ha distinguido esencialmente como excelente pianista que ha estrenado con Anna Ricci (mezzosoprano) la mayor parte de las obras de los compositores del "Círculo" en los que intervenía la voz o un instrumento de tecla.

También a la fina condición de intérprete de Antonio Ruiz Pipó (Málaga 1933) debe el grupo la presentación en primera audición de muchas de sus obras.

Los triunfos que en París y en otras importantes poblaciones europeas ha tenido la labor de Ruiz-Pipó como concertista, no han paralizado totalmente el prometedor empuje que como creador inauguró con "Tres danzas del Sur" y "Suite grotesca" pero sí, han frenado su inicial ímpetu. Las muestras más recientes de su obra de creación las tenemos en sus cuatro "Canciones y danzas" para guitarra, "Cantos amatorios" para barítono y orquesta de cuerda (sobre poemas de clásicos españoles), y "Caleidoscopio", suite para piano, cuyas páginas contienen evidentes reminiscencias populares a las que su autor incorpora un inteligente sentido estilizador.

Con la incorporación de J. M. Mestres Quadreny (Manresa 1929), entra el "Círculo Manuel de Falla" en el período final de su vida pública.

En sus comienzos, José M.ª Mestres aportó a nuestra música un riguroso concepto del discurso sonoro, que primeramente se corporizó en una bien tramada y estructurada obra pianística, "Tocata" (1951) y "Suite en do" (1952) para proyectarse más adelante en conjuntos de cámara como "Mio Cid" (1955) para mezzo-soprano, percusión, clarinete y clarinete bajo. Luego aparecen "Sonata" (1957), "Cuarteto" (1957) y "Variaciones sobre un tema de Juan Comellas" (1957) para orquesta de cuerda en las cuales afronta unos objetivos estéticos en los que está ya su ópera de cámara "El Ganxo" sobre libro de Juan Brossa. Con "Epitafios" (1958) (poesías de J. R. Jiménez) para soprano, orquesta de cuerda, arpa y celesta, la obra de Mestres recala en el puerto del movimiento llamado "Música abierta", de donde zarpa con un itinerario del que hablaremos dentro de poco.

José Roca, Emilia Fadini y Jaime Padrós Monturiol (1926) todos ellos compositores de calidad y excelentes pianistas, tuvieron también incidentalmente contactos con la empresa del "Círculo Manuel de Falla". El último de los nombrados, en su aspecto de creador nos ofrece una importante obra pianística, que comprende "Preludio" y "Danza" (1950), "Sonata" (1954), "Dos modalidades" (Estudio y Sardana) (1957) y una no menos atractiva producción vocal de la que destacamos "Tankas del somni" (1951) sobre poema de Francisco Galí.

Para orquesta tiene "Fantasía del Circo" (1952), "Variaciones y Giga para cuerdas" (1954) y la cantata de cámara "L'atzavara" (1957), obra de estética vacilante, y cuyo excelente trato vocal no tiene siempre el contrapeso apropiado en el débil conjunto instrumental que integra la partitura.

Si bien la vida del "Círculo Manuel de Falla" oficialmente no se ha extinguido, las escasas actividades públicas llevadas a término desde 1955 permiten afirmar que la empresa que en su momento acometió ha llegado al final.

La misión de combatiente solitario que tuvo que asumir en sus comienzos para zarandear y estimular la apacible siesta en que naufragaba el ambiente musical del país, cumplió su objetivo en la medida que sus limitadas posibilidades lo permitieron. Al llegar a los años centrales de la quinta década del siglo, el mundo musical peninsular había experimentado un sensible mutación en múltiples zonas de su expresión.

En 1952 apareció en la escena musical "Juventudes Musicales", primero con paso vacilante, luego con mayor seguridad, que pronto extendió su área de influencia a la generalidad de las capitales y ciudades importantes de España.

Por lo que a Cataluña se refiere las "Juventudes Musicales", entidad con superiores medios económicos que el "Círculo" y encuadrada en una más vasta organización que acoge la mayoría de inquietudes de Europa continuó, con carácter más estable, el difícil cometido emprendido años antes por el "Círculo Manuel de Falla, constituyéndose en el nuevo centro de fermentación sonora del país. Alrededor de "Juventudes Musicales" se agrupan las novísimas promociones de compositores de los que seguidamente damos noticia.

CAPITULO III

Cristóbal Halffter y el grupo Madrileño

En esta exposición de los avatares, circunstancias y logros de la música española después de Manuel de Falla, llegamos a una situación, integrada por una serie de hechos, cuya proximidad constituye el principal obstáculo para la ecuanimidad de su estimación y hace difícil en extremo dar una coherente y sistemática descripción de su detalle.

Interpretar la realidad circundante es siempre una operación de complejo planteamiento y desarrollo, atendida la incertidumbre de los datos en que se apoya, siempre sujetos a futuras revisiones, lo que a su turno implica la admisión de la provisionalidad de las conclusiones alcanzadas. Por tanto, cuando la realidad sujeta a nuestro examen, es la más cercana a nosotros de forma que no podemos desvincularnos del inmediato contacto de su presencia, el proceso encaminado a aquilatar los valores de que es portadora y a desentrañar las afirmaciones que le son propias, se presenta forzosamente plagado de vacilaciones que determinan aún en mayor grado (debemos aceptarlo) la fugaz transitoriedad de los juicios emitidos y de las sentencias dictadas.

No se nos escapa que los acontecimientos que integran y estructuran la *actualidad,* mantienen la total vigencia de sus valores, mientras están vinculados al mundo ideológico en que cristalizaron, pero muchos de ellos se difuminan y pierden rápidamente el sentido directo y total con que nacieron, a medida que se alejan de las corrientes espirituales imperantes en el tiempo en que se conformaron y que determinaron su aparición. En consecuencia, al acometer la redacción de las notas y opiniones que siguen, relativas a los compositores y movimientos espirituales surgidos a última hora, no perdemos de vista la presunta inestabilidad de nuestros juicios, que en su caso, los años, para bien o para mal, se encargarán de alterar, pues no existe mejor módulo clasificador que la sedimentación y estatificación de valores determinados por el irreversible transcurso del tiempo.

Por las inmediaciones del año 1955, Madrid recuperó en gran parte el sentido de su vida musical, entendiendo por tal, no la mera función vegetativa centrada en la regular sucesión de conciertos de interés variable, o en el estreno de obras de autores ya conocidos (los estudiados), sino referida al encuentro de la inquieta fibra creadora, que con nuevos lentes estéticos, asaltó el reposado e intrigante devenir de la capital.

Hasta las inmediaciones del indicado año, no aparecen nuevas voces en grado e intención suficiente para sostener que se había obrado un cambio en la atmósfera musical madrileña, pues hasta aquel instante proseguían las brillantes temporadas de concierto, alimentadas básicamente por las sesiones de la Orquesta Nacional, dirigida por un no menos brillante plantel de maestros que giran en torno a la gran figura del malogrado Ataulfo Argenta, de la Orquesta Sinfónica, y de entidades como "Cantar y Tañer" que otorgan a la vida musical de la "Villa y Corte" un sello de singular distinción en la que no figuraba empero el distintivo de la novedad atribuida a hechos de raíz creacional.

Por ello, cuando en 1955 se estrenaron las "Tres piezas para cuarteto" y en 1956 la "Misa ducal", de Cristóbal Halffter, obras que venían precedidas por las audiciones del "Concierto para piano" (1954) del propio compositor y simultáneamente empezaron a funcionar con regularidad las actividades de las Juventudes Musicales madrileñas, y cuando en las mismas fechas aparecen a la luz las primeras elucubraciones sonoras de Luis de Pablo, García Abril, Ramón Barce y Carmelo Alonso Bernaola, en unión de otros acontecimientos que ya veremos, la afición filarmónica madrileña se conmovió, comprendió que algo *inaudito* pasaba en su seno. Y realmente lo que ocurría era que la incontenible brisa europea se filtraba en la sociedad musical española, llevando en su polen el germen de la angustiosa búsqueda de nuevas fórmulas con que expresar el pensamiento sonoro contemporáneo de la centenaria cultura de este Antiguo Continente.

Cristóbal Halffter y Luis de Pablo parecen ser los dos pivotes en torno a los cuales gira la vanguardia musical madrileña de nuestros días, si bien en órbitas muy desiguales, pues mientras en las oscilaciones estéticas del primero notamos una prudente cautela en el cambio de actitud expresiva, el segundo se ha entregado plenamente a la difícil y admirable aventura de hallar nuevas vías a la expresión musical. En tal menester Luis de Pablo, además de realizar una personalísima obra de creación, desde su puesto rector de "Tiempo y música", lleva a cabo una importante labor difusora de las variadas manifestaciones musicales de última hora: Pousseur, Boulez, Berio, de Grandis, Moderna, Macchi, etc.

Nuestro primer contacto con la obra de Cristóbal Halffter se realizó por medio de su "Concierto para piano y orquesta" con motivo de la audición que del mismo ofreció la Orquesta Municipal de Barcelona, dirigida por el maestro Eduardo Toldrá, actuando como solista Manuel Carra. La obra, concebida bajo una falsilla de corte tradicional, presenta con positivos hallazgos, ciertos quiebros en su discurso sonoro y acusa a la vez sensibles vacilaciones en lo que al cometido expresivo se refiere. La extrema juventud del compositor a la sazón (veintidós o veintitrés años tendría al rubricar la partitura) hubiera justificado la presentación de una obra de menor pulimento formal pero de más audaz intención, puesto que la preocupación de extremar la corrección de escritura, parece frenar las personales afirmaciones que bullen en la mente de este compositor y de las que no tardará en darnos cuenta en las obras que inmediatamente nos da a conocer. Estas son, aparte de interesantes páginas menores, una serie de composiciones de signo religioso que tienen en la "Misa Ducal" (1955-1956) su más calificado exponente. La indicada serie está además integrada por "Ave María" (1954) y "Panis Angelicus" (1954) y "Antifonía Pascual". Habla el P. Sopeña [1], a propósito de las composiciones relacionadas, de un presunto renacer de la música religiosa española, a

---

[1] Obra citada.

manera de resonancia nacional del ambiente que se respiraba en la Europa de post-guerra. "Hemos dicho —aclara— que lo más noble de ese ambiente era la inquietud religiosa, cargando el acento precisamente en los matices de inquietud."

Si no nos pronunciamos de momento acerca de las calidades religiosas aprisionadas en las mencionadas obras de Halffter, sí nos interesa puntualizar qué debemos entender por inquietudes en "specimen religiosa" y cómo se han concretado éstas en el pentagrama. Es sabido que la etiqueta impuesta a la obra no condiciona forzosamente su intención, ni determina por tanto la naturaleza y calidad de su expresión ; que en la "Misa Solemmis" de Beethoven apreciamos inferiores sus calidades religiosas que en el concentrado soliloquio de sus cuartetos últimos : que el "Requiem" de Verdi rendiría la totalidad de sus posibilidades, articulado a un argumento y puesto en escena, que interpretado en el claustro o en el coro del templo. Como símbolo de la religiosidad musical contemporánea, no podemos aceptar la insinuación hecha por el P. Sopeña relativa a la figura de F. Poulenc, pues por lo que a su "Stabat mater" se refiere, no puede detectarse otra religiosidad que la que trasciende su meliflua letra y desde luego, de la partitura, realizada con habilidad suma, no trasciende inquietud estética, religiosa, ni de otro orden. Similar comentario nos sugiere su ópera "Diálogos de Carmelitas". En otro aspecto, además de la expresividad específicamente religiosa, cabría considerar la actitud funcional de estas partituras, es decir la posibilidad de su normal utilización para el culto. Pero tal examen nos desviaría del fin pretendido en estas páginas.

Después de este pequeño meandro disgresivo en

torno a la cuestión relativa al carácter religioso de una parcela de la total producción de Cristóbal Halffter, conviene encauzar nuevamente nuestros pasos hacia la vía de la pura musicalidad, con independencia de otros factores —el religioso— que, de existir en la obra de Halffter será por su personal dinámica interna y no como correlato a una hipotética inquietud religiosa musical europea.

"Antifonía Pascual" prepara el material que debía desembocar en la "Misa Ducal", una de las páginas corales de más ambición expresiva de la música española contemporánea y que, a su vez, se ha traducido en uno de sus mayores logros. La obra, tal como denunció en su día certeramente el P. Sopeña, acusa el influjo de la dinámica narrativa implantada por Strawinsky en la ya lejana desde nuestra perspectiva actual, "Sinfonía de los Psalmos", pero ello no merma valor a su total concepción. Creemos que es ya momento de aceptar que la recepción de un influjo estético o técnico que no lleve anexa la calificación de plagio o copia, es más fructífera y sana y, en último término más natural, siempre que esté bien aprendida y asimilada, que una originalidad forzada en aras a obtener unas creaciones personales que con frecuencia naufragan en insípidas y farragosas elucubraciones. Hoy, los descubrimientos de Strawinsky y de Bartok o de otros maestros del pasado, son patrimonio público, bienes mostrencos, de provecho general, que en su adecuada utilización puede el compositor insuflar nueva vida y nuevos desarrollos a su fórmula inicial. No deja de ser strawinskiano "El pájaro de fuego", a pesar de las reminiscencias temáticas e instrumentales de Rimsky-Korsakoff salpicadas por la partitura, ni el peso de Wagner impide que emerja la personalidad de Bela

Bartok de las barras de los compases de "El castillo de Barba Azul".

La "Misa Ducal" se halla en una similar situación. En la correlación y proporción entre los términos "influencia", "aportación personal", se puede asignar al primero de ellos el cometido secundario de ayudar a la expresión del otro.

En esta obra C. Halffter somete al coro a un trato rítmico armónico sin precedentes en la música española para conjuntos similares. De la aparente irregularidad rítmica, que otorga a la obra singular nervio, nace un inteligente juego combinatorio que se configura en una sucesión de compases heterogéneos alternados con una meditada dosificación de acentos. Algo semejante encontramos en las cantatas escénicas de Carl Orff ("Carmina Burana") si bien en éste, el trato armónico de las distintas voces es evidentemente más simple que en la "Misa" de C. Halffter.

No obstante las calidades que apreciamos en la "Misa Ducal", de las que acabamos de hacernos eco, la afirmación que consagra, en una sin par alternativa la gran clase de maestro que es C. Halffter, nos llega con sus "Dos movimientos para timbal y orquesta de cuerda", obra que en 1956 mereció el premio de composición de la U.N.E.S.C.O.

No es extraño a la confección de esta página el antecedente bartokiano, al que debemos considerar como un eslabón necesario en la articulada evolución musical contemporánea. La presencia del compositor húngaro en la mencionada composición no es producto de un esporádico contagio, sino de un consciente proceso de asimilación en el que los principios activos que irradia la producción bartokiana se han transformado en substancia propia de nuestro compositor. Las dos partes en que se divide la obra son de muy distinto carácter dentro de una misma técnica estilística, pues mientras la primera (Lento, Molto adagio, Allegro moderato, Vivace), es una inteligente especulación dinámica en la que el peso del desarrollo está confiado a función rítmica, en la segunda (Allegro vivo e molto ritmico, lento Allegro vivace), el talento de C. Halffter se aplica a extender y ensanchar la banda expresiva de la orquesta de cuerda, esta vez en su cometido armónico logrando con tal experiencia un insospechado rendimiento expresivo de la más pura estirpe musical.

La clara trayectoria que se perfila a través de la producción comentada, encaminada a dotar a la obra de un mayor ascetismo en la manipulación del material sonoro, sufre un leve retroceso en su —no obstante— atractiva partitura "Jugando al toro" con la que "Antonio" ha montado una de sus más sugestivas y brillantes concepciones coreográficas. La perfecta articulación de las distintas secciones de la página al desarrollo escénico, la firmeza de su trazo y la seguridad que denota su realización, son elementos suficientes para ratificar los juicios emitidos. Apreciamos especialmente en dicha obra, el pasodoble, página en la que C. Halffter se nos muestra como un agudo estilizador del género en cuyo cometido no está ausente un amable guiño de ironía.

Con "Microformas", Halffter emprende nuevos derroteros en su carrera de compositor. En esta obra tienen oficialmente entrada en su producción las experiencias más recientes de la llamada música serial. Antes había dado un "Concertino" para orquesta de cuerda (1956) y "Tocatta" (1957), para piano, pero es en "Microformas" donde ostensiblemente adopta aquella sintaxis musical. Interesa no perder de vista que en los días que precedieron a la composición de dicha página, llegaban a este solar las primeras muestras de la música europea desidente de la tradición tonal. No nos referimos a las obras de Alban Berg o de Schoemberg que en aquellas fechas, si no eran aún unos valores totalmente "entendidos" (valga lo equívoco del término), estaban al menos tácitamente aceptados por unas minorías, sino a las de aquellos autores que han pasado a ser epígonos de los geniales destellos de Webern (fallecido en 1945), como Dallapicolla y los más jóvenes, Luigi Nono, Pierre Boulez y Stockhausen, principalmente.

La recepción de estas muestras de rebelión en los ambientes musicales españoles (Jaime Bodmer dirigió en el Palacio de la Música de Barcelona en 1956 un concierto con obras de Bartok, Milhaud, Nono y Boulez) si bien no implicó una acogida cordial en la generalidad de los medios musicales del país, penetró lo suficiente en algunas mentes despiertas, para provocar una fructífera duda respecto a la licitud de proseguir laborando en manufacturas obtenidas por los viejos sistemas o procedimientos. Tal parece haber sido la desazón sentida por el joven Halffter ante aquella invasión, que le movió a reconsiderar y a revisar la validez de los cimientos en que se apoya su producción anterior.

El rumbo del dodecafonismo no creemos que altere las afirmaciones contenidas en la obra precedente de este autor. "Microformas" parece ser el resultado de un voluntario empeño en sintonizar la actual onda estética europea sin penetrar en el sentido último de la misma y olvidando acaso que no son los sistemas los determinantes del valor y trascendencia de las obras, sino el hombre, que detrás de tales estructuras las empuja y les otorga la coherencia de su "personal" genio confiriéndoles en suma su particular e intransferible dimensión humana, que es la que vale. Por ello, a la vez que aquilatamos la conciencia y propósito que han impulsado a la realización de la obra y la corrección seleccionadora del material empleado no podemos dejar de considerar, que la pieza mencionada no añade especial novedad a la historia del atonalismo serial y por ende, no agrega ni significa una substancial ganancia para el patrimonio musical de España.

Una clara y decidida voluntad de novedades y un utillaje técnico constantemente de primera calidad es lo que nos muestra el zigzagueante itinerario espiritual de Halffter en cuyos principales puertos hemos recalado y en el que, en nuestro criterio, falta un punto de reposo que permita sedimentar el riquísimo caudal de experiencias que comporta la fructífera tarea hasta el momento realizada por este compositor. En su más recientes tareas creadoras figuran "Formantes", móvil para dos pianos.

Recordemos que Halffter ha trabajado también en la difícil y comprometida zona de la creación musical destinada al servicio escénico. En tal sector son notables, entre otras, sus ilustraciones a "La Orestiada" presentada según la revisión literaria de Pemán, en el suntuoso montaje de José Tamayo.

En simultánea presencia que Cristóbal Halffter, pero en un plano estético distinto, discurre la obra del bilbaíno, asentado en Madrid, Luis de Pablo (1930). De la misma edad que Halffter, Luis de Pablo compareció algo más tarde a la palestra musical contemporánea a la que no obstante aporta unos criterios de creación musical que entrañan una radical novedad, apoyada y defendida por una constante actitud polémica mantenida con extraordinario tesón. La visión que en conjunto nos brinda la producción de Luis de Pablo, en especial la más reciente es la de una progresiva y regular carrera encaminada a la meta esencial de articular una nueva gramática sonora con la que traducir, musicalmente, la complejidad del mundo espiritual de hoy.

De poder representar con una gráfica las oscilaciones de la trayectoria estética de este creador opondríamos a la zigzagueante línea de la obra de C. Halfter, una curva regularmente evolucionada fijada en unas coordenadas, en las que las abscisas representarían el avance en un nuevo orden musical y el eje de las ordenadas nos indicaría el grado de pureza alcanzado en su marcha evolutiva.

El camino estético recorrido desde las piezas para piano con que salta al tablado musical español, hasta sus más recientes producciones denota un constante progreso en la angustiada búsqueda de un nuevo sistema de expresión. Al igual que sus coetáneos, José Cercós y José M.ª Mestres, quienes en su actitud inconformista han quemado literalmente las etapas en el acoso de un procedimiento —constantemente huidizo— en que fundar una nueva era musical, es sensible en Luis de Pablo la paulatina desgravación de lastres tradicionales en el caminar de su obra. Así, en el "Cuarteto" (1955) es patente el rastro de los procedimientos en boga durante el período de entreguerras y a pesar de que las funciones tonales que contiene son muy débiles, los principios informadores de la oración musical se estructuran aún según los viejos cánones temáticos.

En las obras que siguieron inmediatamente a la citada se acentúa el alejamiento de las concepciones tradicionales para producirse una cada vez más acusada aproximación a estructuras que abogan por un total divorcio con los procedimientos vigentes en nuestra cultura hasta el inmediato ayer entendiendo por tales los que privaban en nuestra vida sonora hasta los días del armisticio.

Con "Sonata" (1959) y muy en especial en "Invenciones op. 5" para orquesta, Luis de Pablo nos descubre de una manera indudable y precisa el objetivo estético pretendido, pues en ellas, al prescindir totalmente de los procedimientos clásicos, desgaja su obra del pasado y la proyecta exclusivamente hacia un aventurado e incierto futuro.

En una exposición de la música española, que como la presente pretende fotografiar la actualidad y sólo dar el cariz valorativo de las obras resultantes de conjugar las actitudes de cada compositor en relación con su situación histórica, es prematuro juzgar y apuntalar los logros y el valor de Luis de Pablo en su postura extremista. Pero una cosa es cierta : a través de las mallas de sus tanteos especulativos se filtra en cada una de sus realizaciones una óptima condición de "músico" en la más completa acepción del vocablo. Es por ello, que al margen de la regla constructiva empleada por este compositor en cada obra se delata la autenticidad de su trasfondo musical.

En el último estadio de su evolución, Luis de Pablo con obras como "Progressus" para dos pianos se acerca a las normas de creación propugnadas por Pierre Boulez y Varese. Desde tal plataforma técnica milita —según veremos— con el grupo de "Música abierta" a la par que realiza una intensa campaña proselitista a través de "Tiempo y Música".

CAPITULO IV

La presencia de las Juventudes Musicales

Justo en las fechas en que menguaba el empuje de la labor emprendida por el "Círculo Manuel de Falla" y decaían y se espaciaban sus manifestaciones públicas compareció en la escena musical española "Juventudes Musicales".

Creada la entidad matriz en Bélgica (1943) a iniciativa de Marcel Cubelier con la finalidad de agrupar y canalizar la inquietud musical de la juventud europea dispersada y desconectada por la contienda universal, halló tan feliz propósito en sus naturales destinatarios, un campo abonado que permitió el cultivo, la rápida expansión del movimiento y la cordial acogida de la iniciativa en la mayoría de los países donde ejerce su acción.

Anegados hacia 1955 los postreros reductos de la actividad pública del "Círculo Manuel de Falla" entran las "Juventudes Musicales" en la escena artística y no tardan en formar una auténtico y vivísimo núcleo de fermentación sonora en torno al cual ha girado y gira lo más interesante y nuevo de la vida musical del país.

Primeramente en Madrid (1952) y más tarde en Barcelona (1953), donde la entidad toma un sesgo catalán, el despliegue de actividades de las "J. M." no tardan en manifestarse en la generalidad de los ámbitos de la expresión musical. Vemos que se instituyen premios de composición y surgen a su iniciativa publicaciones regulares, concursos de intérpretes, conferencias acerca de los problemas más apremiantes que se plantean en el orden estético y práctico de la música moderna, además de conciertos y otras manifestaciones.

Antes de entrar en el detalle de las realizaciones concretas de los compositores acogidos en el seno de esta organización, interesa destacar la importancia y volumen de la tarea emprendida y alcanzada en los diez años de existencia que lleva dicha entidad en España, pues a las actividades enumeradas, debe sumarse el establecimiento de numerosas delegaciones en puntos que en un pretérito no lejano estaban prácticamente huérfanos de conciencia sonora. Así hemos visto nacer y proliferar en ciudades y villas como Palma de Mallorca, Zaragoza, Santa Cruz de Tenerife, Badajoz, Granada, Córdoba, Sevilla, Sabadell, Tarrasa y otras poblaciones de menor densidad humana un renovado aliento artístico en el ámbito musical, debido en gran parte a la fecunda acción de las J. M. Secuela de este despertar han sido y ello es de positivo peso, la creación de nuevas entidades orquestales que ha afluído con nueva savia a la corriente "normal" y un tanto aletargada del país. En Barcelona, después del fructífero connubio de la Orquesta de Cámara "Solistas de Barcelona" que dirige Domingo Ponsa, con entidades corales de tanta clase y prestigio como "Coral St. Jordi" y coros "Madrigal" y "Alleluia", respectivamente guiados por Oriol Martorell, Manuel Cabero y Enrique Gispert las "J. M." han logrado unir las dispersas fuerzas de aquella capital en la integración de una nueva orquesta, la de "Juventudes Musicales", que en 1961, bajo la dirección de la consciente batuta de Rafael Ferrer dio su concierto de presentación. Merced a tan fecunda y tenaz labor no sólo se han exhumado viejas partituras cuyas audiciones en las salas públicas eran raras, sino que se dio cordial entrada a las corrientes musicales contemporáneas del más variado signo, y no como propaganda de determinada postura, sino como parte integrante de un amplio programa informativo y difusor de la actualidad mundial en materia sonora. Gracias a la asidua tarea en la organización de tandas de conferencias y de la socialmente más penetrante, referida a la organización de conciertos, nuestro público ha entrado en contacto con las creaciones de aquellos autores que más decisivamente han contribuido a modelar el pensamiento musical moderno (Malher, Schoemberg, Webern, etc.) con las de los más importantes maestros contemporáneos (Strawinsky, Bartok, Milhaud, Varese) y con las experiencias y logros de los representantes de los movimientos de promociones que de forma explícita adaptan los avances científicos a la esfera de la creación musical o que han decidido romper con el pasado para estructurar su propio idioma expresivo (Boulez, Ligeti Eimert, el griego Xenakis, etc.).

Este concentrado en resumen de actividades nos dice de una manera ostensible y evidente cuán dilatada y profunda ha sido la acción ejercida por las "J. M." en la vida cultural de la Península. Pero, para aquilatar la importancia del surco labrado y medir en sus justas proporciones la hendidura marcada en el plano general de la vida española conviene examinar además cómo se ha concretado el influjo de su programa en la obra de los compositores.

No creemos que figure en el plan de las "J. M." fomentar una peculiar escuela ni proteger unas determinadas formas de lenguaje musical y si bien es manifiesta su simpatía por los regímenes innovadores, están encuadrados en su seno cultivadores de los más dispares y heterogéneos criterios estéticos. Basta cotejar las producciones de los más conspicuos representantes, como son Narciso Bonet, Xavier Benguerel, o Luis de Pablo, quienes respectivamente encarnan la continuación de la ruta tradicional, una personal visión del dodecafonismo, y en el caso de Luis de Pablo —según se ha visto— la postura que se desentiende totalmente del pasado, para probar lo afirmado.

Al llegar a este punto de la presente exposición, interesa aclarar que la etiqueta que define el capítulo no sólo engloba a los afiliados a las "J. M.", sino que también a los autores que no han ligado sus actividades a las desarrolladas por dicha organización. La existencia y presencia de otros muchos compositores recientemente adscritos en la vida activa peninsular y que integra también la novísima promoción obliga a incluirlos en este apartado, aun cuando no hayan formado en las filas de las "J. M".

En la zona central, se alinean en la última hornada de compositores además de Halffter y de Pablo, Carmelo Alonso Bernaola, Miguel Alonso, Antón García Abril, Manuel Castillo, Francisco Calés Otero, Manuel Angulo, Angel Arteaga, Ramón Barce, José Peris, y Manuel Moreno Buendía, principalmente.

Por el lado catalán deben constar en primer término Xavier Benguerel, Narciso Bonet, Manuel Oltra, Román Alis, José Soler, Leonardo Balada y José M.ª Martí. Junto con estos grupos de Madrid y Barcelona, que si bien son los focos de actividad que por su importancia polarizan la vida sonora de este solar no son los únicos, existen otros con prometedoras personalidades. Retengamos los nombres de Pascual Aldave, que estudió con el P. Donostia en Barcelona y con A. Salazar en México, A. Blanquer, Enrique Massó, José Báguena, Ruiz de Luna, M.ª Rosa Alcaraz y L. M. Soler.

Las contadas salidas públicas de la obra de muchos de estos compositores y el estado de vacilación o indecisión estética que acusan otros en el inicio de su carrera, dificulta enormemente la tarea valorativa de sus obras, que debe realizarse sobre el angosto margen de las contadas audiciones que se han ofrecido a la pública consideración.

De Carmelo Alonso Bernaola (1929), que tiene una abundante producción de cámara, para piano y obra vocal sobre poemas de J. R. Jiménez, conocemos su "Sinfonietta progresiva" (1961), dividida en tres tiempos ("Dinámico", "Constantes", "Plástico"), obra cuya evolución discurre por los cauces del neoconstructivismo musical en el que, además de especular con la diferente altura de las notas en la frase se concede similar jerarquía y trato a los restantes parámetros (ritmo, timbre, dinámica, etc.) que integran el complejo sonoro de toda composición.

En análogo frente expresivo, tenemos la obra de Ramón Barce (1928), quien además nos presenta una interesante faceta de escritor y articulista de problemas concernientes al quehacer musical, enfocado siempre desde el ángulo de la actualidad.

Dentro de la plural significación de los autores relacionados hace un momento, pertenecientes a la joven avanzada musical debemos situar en especial apartado la obra de Antón García Abril (1933), compositor que, apenas traspasado el umbral de la adolescencia, ha trabajado con positivo provecho y clase en la doble vertiente del profesionalismo musical y como libre creador.

Si en el primer aspecto son notables sus "arreglos" de páginas del género menor, en la segunda faceta, nos muestra, especialmente en el sector pianístico de su obra, un agudo instinto armónico en el sentido más actual de la palabra. Ilustra el precedente aserto su "Sonata" (1954), compuesta de tres movimientos ("Allegreto", "Arietta", "Finale"), en cuya factura y desarrollo, pese a su formato clásico, notamos un temperamento músico de primer orden. Del conjunto de la obra destacamos, por su original estructura, el segundo tiempo (Arietta), en el que la evolución musical viene determinada por la reiterada exposición de una misma célula o motivo. De Antón García Abril son las ilustraciones musicales de la obra de Valle-Inclán "Divinas palabras", en cuya partitura compagina admirablemente la función adjetiva de la misma con su valor sustantivo asentado en su acertada realización.

Similar actitud que García Abril mantiene Manuel Moreno Buendía (1932) con las naturales diferencias temperamentales de expresión. También en este compositor la obediencia al encargo alterna con la obra de creación pura en la que manifiesta singular conocimiento del material sonoro que maneja con suma habilidad. Premio "Samuel Ros" de 1955 por su

"Cuarteto" con piano y cuerda cuenta además con una reducida pero muy pulcra producción, de signo discretamente innovador.

Señalemos, dentro de esta misma promoción, la orientación decididamente religiosa de la obra de Miguel Alonso (1925) y de Manuel Castillo (1931). El primero mereció por su escena dramática "La Morisca" el gran premio de Roma. Dentro de las más significativas creaciones del segundo citamos "Quinteto" para flauta, oboe, clarinete, trompa y fagot (1954) así como una importante obra para órgano.

Manuel Angulo (1930) presenta una obra de cámara de distinguido corte, mientras que Francisco Calés cuenta con un variado repertorio en el que tienen cabida la generalidad de las variantes de la expresión musical.

Con "Suite de cantos populares" (Premio Ciudad de Barcelona 1958), Antonio Pérez Olea ha acreditado su óptima condición de compositor al trasladar en unas sensibles realizaciones orquestales, el espíritu popular que trasciende de las melodías que informan su contenido musical.

En el Principado Catalán la labor llevada a cabo por las "J. M." se ha concentrado principalmente en Barcelona. En la vieja urbe mediterránea, además de la intensa campaña encaminada a fortalecer y acrecentar el interés por el fenómeno sonoro, dicha entidad se ha erigido en el agente a través del cual han sido posibles los estrenos de muchas obras de Narciso Bonet y Xavier Benguerel y más adelante de José Soler, José M.ª Martí y otros compositores, dando además entrada en sus programas a páginas del variado mosaico sonoro peninsular (X. Montsalvatge, J. Homs, Luis de Pablo, Manuel Valls, Angel Cerdá, J. Casanovas y Mestres Quadreny) y extranjero

(A. Berg, Schoemberg, B. Bartok, A. Webern, Strawinsky, P. Hindemith, Ravel, etc).

Si bien Narciso Bonet (1933) no compareció oficialmente a la vida musical hasta el quinquenio 1950-1955, su actividad creadora se remonta a su más temprana adolescencia con unas obras calcadas de falsilla mozartiana. Su extraordinaria facilidad creadora no tardó en canalizarse hacia una anticipada madurez traducida en una obra meditada, sin sorpresas ni audacias cuya solidez constructiva constituye una excelente base a su moderado equilibrio expresivo.

La simple lectura del catálogo de las obras de N. Bonet (que ha estudiado en Barcelona con J. Massiá y en París con Nadia Boulanger) nos informa con bastante aproximación acerca del contenido emocional que las anima. Un primer término de partituras inspiradas en poemas de J. Maragall y Tomás Garcés para coro mixto y orquesta de cuerda, tratadas sin vulnerar los cánones armónicos tradicionales, nos ilustra de entrada acerca de la fibra conservadora de su producción determinada por un concepto académicamente claro de la forma y que, estéticamente, actualiza climas espirituales pretéritos.

En 1953 la Orquesta Municipal de Barcelona ofrece la primera audición de "Suite" para orquesta de cuerda, en la que delata cierta timidez en el empleo de los recursos y posibilidades del conjunto escogido.

Más adelante, en la "Misa in Ephifania Domini" (1957), es sensible el enriquecimiento de su gama de valores rítmicos, ofreciéndonos con ella una página de auténtico mérito e interés, pues confiere a su realización una dimensión espiritual en la que se equilibran perfectamente todos los elementos que intervienen en su manifestación, tratados sobre la base de emplear un lenguaje sonoro de primer orden y de moderna factura.

Además de "Divertimento en re mayor" para dos clarinetes y orquesta (1946) hallamos en los más recientes trabajos de este compositor una "Sonata" para piano (1956) y un "Concierto" para violoncelo y orquesta, páginas en las que persisten las notas descritas.

Narciso Bonet realiza actualmente una importante labor difusora de la música a través de los micrófonos de la Radio-Televisión Francesa.

De más novedad y con propósitos estéticos más ambiciosos encontramos los criterios que informan la música de Xavier Benguerel, compositor nacido en 1931 y que pasada su primera juventud en Chile se incorporó en 1954 a la vida musical de la ciudad de los Condes.

Desde sus primeras obras de cámara, hasta su segundo "Cuarteto de cuerda" (1957), íntegramente inmerso en el sistema dodecafónico, pasando por el "Cuarteto" de 1955, y el "Concierto para piano" 1956, si técnicamente su producción ha experimentado un sensible cambio que naturalmente ha provocado la consiguiente mutación expresiva en este plan, no ha perdido de vista que el fin esencial perseguido en su producción consiste en dar música pura, objetiva, alejada de complejos sentimentales y vinculada a una íntima necesidad de concreción formal.

La más reciente trayectoria de Benguerel se dirige hacia la busca de nuevas soluciones sobre las que proyectar el mecanismo constructivo de su sistema de creación musical : fruto de tales investigaciones y estudios, son sus más recientes experiencias sonoras concretadas en "Sonata para violín y piano",

"Contrast", "Dos polifonías para orquesta", "Estructura II" (1959) para flauta, sola, y muy en especial en una "Cantata" para contralto, coros con celesta percusión y siete instrumentos de viento (1959), única partitura interpretada en el festival de la S.I.M.C. de 1960 en Colonia, de un autor de nuestro país.

A nuestro juicio es dicha "Cantata" la obra que mejor traduce la inquietud espiritual de Benguerel y la página en que logra una mayor concisión expresiva. Escrita sobre textos del "Llibre D'Amic i Amat", de Ramón Llull, la técnica serial utilizada en su desarrollo adquiere una significación particular al ser manipulada bajo criterios de orden estrictamente personal, con lo que logra unas calidades sonoras de auténtica novedad, trasunto de sus originales intuiciones.

En las postreras creaciones de Benguerel "Quinteto de viento" y "Trío para flauta, clarinete y piano" (1961) nos muestra haber alcanzado un grado más en la búsqueda de una superior concisión y laconismo expresivo.

Aunque valenciano de nacimiento, José Soler participa activamente en la creación de un clima de novedad dentro del ambiente musical barcelonés.

En el ballet "Danae", estrenado en la versión de concierto en 1960, Soler indica de forma clara su intención de dotar a la narración sonora de una nueva sintaxis, intento que se repite en "Das Stundenbuch" para soprano y piano en "Sinfonía de Grünewald", que en conjunto forman lo más importante de su producción.

La más reciente etapa creadora de Soler, está integrada por "Concierto para dos pianos" (1961) en cuya obra, del estudio de sonoridades y contrastes entre los diversos elementos sonoros que participan de su desarrollo, trasciende una especial novedad, e "Introducción, doble canon y pasacalle". La "Sinfonía de San Francisco de Asís" ha merecido el premio "Ciudad de Barcelona" en su más reciente edición.

Pianista y compositor, José María Martí (1930), nos ofrece en este último aspecto unas interesantes armonizaciones de melodías populares, diversas canciones y una "Misa de Catecúmenos" para coro a "capella", oboe y tres trombones, página de excelente factura, y en la que su autor devuelve a la música religiosa su primitiva función sonora al servicio de la liturgia sin ingerencia de elementos extraños a dicho cometido esencial.

La presencia en la obra del espíritu de Strawinsky no es en desdoro de sus calidades, pues abona el cumplimiento de aquella función. La más reciente producción de José M.ª Martí incluye "Trío para flauta, viola y piano", "Tema y variaciones para quinteto de viento" y una "Sonatina para piano".

Otros compositores de positiva significación no encuadrados en las huestes de "J. M." realizan una importante labor en la vida musical de Barcelona. Tenemos a Manuel Oltra (1922), que en el sector instrumental cuenta con su interesante "Rapsodia" y abundante producción destinada al ballet, además de una "Sonatina" para piano.

En el ámbito vocal son notables sus canciones para coro compuestas sobre textos de Federico García Lorca que denotan la gran preparación de este compositor y su agudo instinto al interpretar debidamente el mensaje espiritual contenido en la obra del poeta granadino.

Por su parte Leonardo Balada (1933), que ha estudiado en Nueva York con Aarón Coplan y Norman Dello Joio y reside actualmente en aquella metrópoli norteamericana, cuenta con una importante producción que no está sujeta a credo estético determinado, pero en la que las constantes mutaciones tonales que surgen en el transcurso de su audición permiten considerar su música como atonal, sin que tal etiqueta signifique su filiación a ninguno de los sistemas que actualmente se amparan en tan genérica denominación.

Dichas características se hacen sensibles en "Tema y Variaciones" para piano y orquesta (1958), "Ensayo" (1960) y "Música Tranquila" (1960), esta última para orquesta de cuerda.

En el sector de cámara, su principal obra es "Allegro de sonata en cuatro tiempos" para violín y piano (1960), página de extraordinaria dificultad interpretativa, encuadrada estéticamente dentro de las lindes determinantes del estilo de este compositor.

Antes de entrar en el examen de las más recientes experiencias musicales anotemos los nombres de Enrique Sastre Raxach, Juan Ginjoan, A. Ros-Marvá y Román Alis, que completan con interesantes aportaciones la múltiple significación del panorama expuesto. No son muchas las salidas públicas de la obra de Román Alis, pero conviene destacar que dicho compositor mereció el Primer premio en el concurso de composición de Divonne les Bains de 1961 por su "Cuarteto".

CAPITULO V

Un manifiesto de última hora: «Música abierta»

> *"La musica, a'miei tempi era tutt'altra cosa."*
>
> "El Barbero de Sevilla"

Las más recientes experiencias musicales de signo marcadamente extremista que han brotado en estas latitudes, han quedado encuadrado en los plurales presupuestos técnicos y expresivos que se amparan bajo la incierta denominación de "Música Abierta".

Avancemos que el propósito que alienta esta esforzada asamblea de músicos no resulta muy claro del lema, cabalístico en su propia simplicidad, que preside sus manifestaciones y que dice : *"Música abierta, música activa, del ayer próximo, del hoy y del mañana"*, pues si el adjetivo "abierta" parece implicar que tiene cabida en su seno la múltiple conciencia musical moderna, del contexto de los programas y de los actos hasta el momento ofrecidos, se deduce que sólo tienen entrada en tal obertura las concepciones sonoras reñidas con las corrientes vigentes en nuestra cultura, de lo que parece inferirse que la advocación de *abierta* no concuerda con la finalidad de dicha empresa. Pero no es momento de interpretar el oculto sentido de tan vago manifiesto, sino de examinar y en lo posible explicar los objetivos a que apuntan los más destacados compositores que se acogen bajo tal epígrafe o lema.

En los actos en que se ha manifestado públicamente "Música abierta", además de presentarnos las últimas derivaciones de la obra de Homs, Cercós, Mestres-Quadreny y Luis de Pablo, a quienes ya conocemos y la de Juan Hidalgo y otros, nos ha puesto en contacto con las experiencias de quienes trabajan en el inexplorado campo de la música electrónica (Eimert, Stockhausen, Varese, Koenig, Pousseur y György Ligeti) y con las realizaciones de quienes allende de nuestras fronteras laboran en zonas estéticas afines a las sustentadas por los más destacados miembros de dicha empresa, como Renato de Grandis y Bo Nilsson, principalmente.

Dos parecen ser los polos que fundamentalmente atraen las miradas de este grupo de compositores en orden al procedimiento encadenador y cohesionador de sus elucubraciones sonoras. Entroncados con la labor realizada por Edgar Varese, pionero del sistema constructivo que postula por la equiparación de los parámetros, rítmico, dinámico y tímbrico, al melódico, hallamos muchos aspectos de las producciones de Mestres-Quadreny, José Cercós, o de Luis de Pablo, mientras que las preferencias de Juan Hidalgo se inclinan hacia los experimentos que John Cage realizó entre 1930 y 1940, consistentes en el estudio de las posibilidades de otorgar una función variable y aleatoria al proceso musical, ligado a la utilización de otras fuentes productoras de sonido o en términos más generales, de materia sonora. De todas formas la frontera divisoria entre ambas posturas es imprecisa.

Sin querer adentrarnos en el resbaladizo y siempre engañoso e inexacto terreno de las comparaciones, apuntaremos que el movimiento que encarnan dichos compositores (excepción hecha de J. Homs, en cuyas realizaciones, a pesar de su modernidad, utilizan un lenguaje articulado) es equiparable a la actitud sostenida por las postreras promociones pictóricas (Antonio Tapies, Román Vallés, Tharrats o Cuxart), quienes bajo la genérica denominación de "informalismo" han prescindido del dibujo, la perspectiva y, en suma, de toda imagen real o ideal y se han lanzado a la conquista de un inquieto universo en el que imperan el color, la mancha o las más extrañas rugosidades, para darnos noticia de un reino emocional apenas presentido y del que, el lienzo contemplado es sólo una clave para entrever y penetrar su rara e incalificable existencia.

Aceptada de antemano la inconveniencia del sistema comparativo transitoriamente adoptado, señalaremos que la analogía que la postura sostenida por el frente de "Música abierta" ofrece, con la sostenida por la avanzada plástica es evidente, pues sus componentes no sólo han volado los puentes que les unían a los modos en uso, sino que además, desde su inestable plataforma estética han tenido la admirable valentía de recomenzar "ex novo", con el examen de sus vivencias mentales la elaboración de unas teorías de la que sus obras intentan ser reflejo.

Apóstatas de las estructuras vigentes, de la melodía, de la perspectiva armónica y orquestal, y del "solfeo de los solfeos", se embarcan con su equipaje de ruidos y filtros con que triturar y modificar el sonido a explorar río arriba, contra corriente, unas tierras cuya maraña literaria (o filosófica) impide ver el horizonte que inconcretamente se pretende alcanzar.

Si desde luego, la actitud que supone la audacia de emprender tal aventura, con el afán de renovación que comporta, es acreedora de la más cordial simpatía y merecedora de constante aliento y estímulo, más cautelosos debemos ser en el intento de medir el alcance de las creaciones hasta ahora brindadas, y de calibrar la importancia y calidad de sus realizaciones, pues el simple uso de un nuevo vocabulario, aparte de no determinar necesariamente la bondad del sistema, ni siquiera su modernidad, ni la de las obras que son su secuela, constituye la principal barrera para aprehender su mensaje, ya que se hace necesario descifrar previamente el jeroglífico de signos en que se asienta la inaudita escritura musical presentada.

Notemos que las artes plásticas (pintura y escultura) son, con la música, las únicas manifestaciones espirituales que en los últimos decenios se han permitido el lujo de crear sus propias normas estructurales, con total desvinculación del componente social en que deben desenvolverse, e independientemente, por tanto, de si tal destinatario captará el cifrado mensaje que se ofrece a su pasmo. Las posibilidades de libre especulación que música, escultura y pintura, entendidas en su más elevado sentido creador, ofrecen, arrancan en general de su carencia de vinculaciones de orden práctico y de la ausencia de las mismas de una función social inmediata. La arquitectura, en sus múltiples proyecciones (viviendas, templos, escuelas, museos o seminarios) está forzosamente sujeta a unas necesidades vitales (distribución de habitaciones, aprovechamiento de espacio, desagües) cuya inmediata atención no puede eludirse y que en última instancia determinan y prefiguran sus estructuras. Alvar Aalto, Van der Roes, Frank Lloyd Wright, Le Courbusier, o Nervi, han tenido que ceñir sus proyectos a unas realizaciones inmanentes de utilización y paisaje, y conjugar sus abstracciones constructivas, con la resolución de unas funciones concretas que constituyen el destino primordial del edificio.

Igualmente no podemos concebir en la rama literaria, a un ensayista que en sus trabajos emplee para expresar sus ideas sobre lo que es objeto de su estudio unos grafismos distintos de la escritura habitual y que, a su vez, utilizara oraciones gramaticales montadas sobre un patrón distinto del compuesto por sujeto, verbo y predicado porque la imperiosa necesidad de que su comunicación sea entendida y comprendida le constriñe a mantenerse en el cauce (tan convencional como se quiera) del lenguaje.

El poeta o el autor teatral, podrán circunstancialmente burlar las normas sintácticas o la correlación entre las distintas partes de una frase, pero tanto ellos como el novelista, ensayista o filósofo, no podrán inventar un nuevo sistema del lenguaje porque la incomprensión que causaría dicha experiencia, dejaría inoperante y sin efecto la función primordial de servir la necesidad de comunicación inmediata en el cotidiano intercambio ideológico e intelectual.

La circunstancia de presentarse la música desgravada de apremiantes necesidades concretas a que servir, pues no tratamos ahora de su función aplicada (cine, danza, militar, etc.), sino de su concepción como arte sustantivo, invita a sus cultivadores más inquietos a especular con nuevas entidades sonoras y planificar y consumar de las más fantásticas hipótesis sobre las bases y cimientos de su peculiar modo de entender el fenómeno musical.

La libertad del compositor en el terreno de la invención, es tan absoluta, que ninguna traba, sujeta la fuerza ascensional de su constante especulación. Si a dicha circunstancia, agregamos su fe en la autosuficiencia del arte musical, comprobaremos que con sus actuales posiciones de pura elucubración y el voluntario abandono (en aras a una superior pureza artística) de toda función práctica, hoy la música se ha deshumanizado totalmente y ha reducido su cometido a una continuada teorización cuya finalidad esencial parece ser únicamente la investigación. "Cierto es que entretanto, los manantiales de poesía —nos dice D. Ridruejo—, siguen manando, porque los hay, pero cierto es también, que manan demasiado atentos a los cauces que han de conducirlos. Hay más agua que sed" [1], o dicho en otros términos : los lenguajes nuevos han proliferado y sus posibilidades de articulación sintáctica han sido puntualmente fijadas. Sólo falta dotarlos de ideas : de humanidad.

Nadie resulta inmediatamente afectado por la aparente o real arbitrariedad de muchas de estas novísimas experiencias (como lo estaría el inquilino ocupante de unos locales que por razones estéticas o expresivas careciera de los servicios elementales) precisamente por la nula utilización social del fenómeno sonoro tal como se entiende desde estas posturas extremas. Pero las gentes interesadas por las perspectivas futuras que se anuncian para la creación mu-

---

[1] D. Ridruejo, "En algunas ocasiones". Ed. Aguilar, 1961. Madrid.

sical, se sienten, unas veces desorientadas ante los vericuetos e inútiles atajos de tales extremismos y burladas en otras, por la gratuidad de algunas posturas, admitidas sin previa discriminación a las lonjas de música, sólo por llevar el cartel de "nueva". "Este prurito o manía por lo nuevo —ha dicho Ortega— simplemente porque es nuevo, ese *novismo* es síntoma infalible de que una modernidad ha llegado a su propio colmo y pronto va a consumirse" [1].

Hemos asistido en fechas no lejanas a un acto anunciado como concierto de piano en el que un intérprete —David Tudor— convenientemente pertrechado de pito, silbato y aparato de radio, sentado frente a un piano (considerado éste como mueble) ofrece el variado espectáculo en el que tañido (?) de aquellos instrumentos, se alterna con el afortunado hallazgo de una zona parasitaria en el receptor. En el transcurso de tal concierto se propinan golpes, convenientemente espaciados, al piano para arrancar de su seno insólitas sonoridades. Al igual que Monsieur Jourdan, el famoso personaje de Molière, nos enteramos ahora que cualquier iracundo vecino que pega un puñetazo sobre la mesa por la inverecundia de los programas radiofónicos, lo que hace realmente es interpretar una composición musical.

Si una de las funciones *accidentales* que en los años iniciales del siglo XX se añadieron al cometido propio y esencial de la creación artística fue la de "asombrar" al buen burgués, quien alejado de la problemática creadora no imaginaba que la sólida tradición artística en que asentaba sus conocimientos pudiera socavarse por movimiento espiritual alguno,

---

[1] José Ortega y Gasset. *Una interpretación de la Historia Universal.* Ed. Revista de Occidente. Madrid, 1960.

en nuestros días, circunscritas las actividades descritas a un limitado grupo, en el que el "snob" alterna con el curioso, parece que el objetivo pretendido, además de ganar notoriedad con la extravagancia, es igualmente pasmar, pero no al burgués que ignora las sutilezas del sistema, sino al propio creador, llámese músico o pintor.

Naturalmente, no todos los movimientos amparados en el impreciso epígrafe de "Música abierta" caen en la vaciedad conceptual y material del sistema de composición expuesto. Aceptamos y seguimos con avidez las experiencias y los positivos logros alcanzados por la música concreta y la electrónica —casi impracticable en España— gracias a los estudios y realizaciones de Paul Scheaffer, Pierre Henry Sctockhausen y Eimert, porque si bien son manifestaciones no inmediatamente captables por una dilatada porción del público, comprendemos que la dificultad de su percepción radica no tanto en su originalidad auditiva, como en la *novedad intrínseca* de sus instrumentos para los que, al revés de lo ocurrido con los típicos de nuestra orquesta (violín, por ejemplo, formados y modificados según las exigencias de los avances de la técnica interpretativa) en los que la "función creaba el órgano", se han tenido que descubrir los secretos de su técnica e inventar la totalidad de sus posibilidades expresivas y darles después un contenido.

Las anteriores consideraciones nos han alejado momentáneamente del fin esencial perseguido en estas páginas: es preciso regresar al plano de las realidades.

En las sesiones de "Música abierta", con los compositores españoles citados, han presentado obras de Edgar Varese, Renato de Grandis, Bo Nilsson, Walter Marchetti, Sylvano Bussoti, Toshi Ichiyanagi, John Cage, Eimert, Stockhausen, Henri Pousseur y Koenig, con lo cual si el múltiple y variado panorama de las posiciones extremas de la música contemporánea no ha sido completo, ha quedado en cambio representado en su muestrario esencial.

Las obras que Joaquín Homs ha presentado en los conciertos de "Música abierta", ("Cuatro canciones sobre textos de Salvador Espriu" (1956), "Dos movimientos para violín solo" (1957) y "Música para siete instrumentos" (1960), en nada difieren por su técnica y elaboración interna de los principios que informan su restante producción, inmersa de lleno en el sistema serial.

En cambio, la obra de Luis de Pablo experimenta una sensible variación en relación con el norte emprendido en su producción inicial que le ha llevado a efectuar una "purga" depuradora de la misma.

Partiendo de la intrasingente actitud que para con su propia producción ha manifestado, Luis de Pablo considera como única solución viable para la creación musical, la inquieta y urgente persecución de nuevas entidades sonoras en que poder volcar nuestro caudal expresivo.

Hemos citado en el apartado dedicado a la génesis de la obra de Luis de Pablo las páginas fundamentales representativas de su posterior actitud, a las que añadimos ahora el fruto de sus más recientes experiencias : "Radial op. 9" para 24 instrumentos, "Glosa op. 10" para voz y cuatro instrumentos y "Libro para el pianista op. 11".

Con iguales exigencias en la elección de los medios de exteriorizar su pensamiento musical encontramos la obra de José Cercós de la que también en su momento hemos indicado los rasgos determinantes de su inicial trayectoria estética. Perennemente preocupado por el hallazgo de nuevas estructuras, Cercós ha plasmado su teoría de creación musical en un escrito titulado "Assaig d'estructuració sonora" en el que incluso ha ideado una nueva notación.

Como realización práctica de su sistema Cercós ha estrenado "Continuidades" (1960) para percusión, piano de cola, viola, violoncelo y contrabajo, y "Les Fenêtres" sobre textos de Rilke, en cuya obra modera y suaviza la radical utilización de su nuevo lenguaje, acercando las inflexiones de su melodías a una expresión musicalmente inteligible.

Por su parte, José Mestres Quadreny, uno de los más conspicuos partidarios de la recepción de las modalidades, que surgidas de las posibilidades abiertas por el dodecafonismo confieren nuevo cariz y enfoque a la composición musical, en su actual fase creadora, está muy lejos de los principios que fundamentaron sus obras iniciales como "Mio Cid" (1956) para mezzo-soprano, clarinete en si bemol, clarinete bajo y percusión, "Cuarteto" (1957) y "Variaciones sobre un tema de Joan Comellas", también de 1957, pues en este mismo año, con su "Sonata para piano", se lanza por los derroteros marcados por los nuevos procedimientos. A la "Sonata", siguieron "El Ganxo" (1958), ópera de cámara sobre texto de J. Brossa, "Epitafios" (1959) para soprano, orquesta de cuerda, arpa y celesta, y recientemente en "Música de cámara n.° 1" (1960) para flauta, percusión, piano de cola, violín y contrabajo.

En "Invención móvil" (1960) para flauta, clarinete y piano, el discurso musical sigue un proceso aleatorio impuesto por las múltiples posibilidades de ejecución que simultáneamente se ofrecen al instrumentista, que originan una serie prácticamente infinita de variaciones. Las posibilidades combinatorias contenidas en "Zwanzi" y "Gruppen" (1958) de Bo Nilsson han hallado en la citada obra de Mestres Quadreny una mayor concreción, al quedar regladas y ceñidas en los lindes, desde luego muy holgados, de una sistemática, cuyo margen de libertad está condicionado por un estudioso cálculo de sus múltiples proyecciones expresivas.

En distinto estadio expresivo transcurre la obra actual de Juan Hidalgo (1927), compositor canario que, después de transitar por los caminos del postimpresionismo, realiza un tipo de obra que sigue de cerca las experiencias sonoras que John Cage consumó hace años.

En sus experiencias, Hidalgo también otorga un margen de confianza al intérprete, al que en cierto modo le hace partícipe de la función creadora, pues le faculta para que en los períodos de tiempo en que divide su obra, disponga y distribuya a su antojo las notas contenidas en dicha fracción temporal.

En el plano auditivo (no en el escriturado), aunque el procedimiento seguido no es igual, los resultados obtenidos con el sistema, son en algunos puntos similares a los logrados en el área de la "música concreta" por Paul Schaeffer y Paul Henry, si bien éstos, sin despreciar el factor azar, controlan y miden cada uno de los efectos sonoros previamente imaginados.

Hidalgo, con "Aulaga" y "Caurga" y en su "Cuarteto de cuerdas" (1960), ha dado la medida del país al embrionario experimento de John Cage, que no parece haber alcanzado *status natus*.

A nuestro entender, si la tentativa no se ha consolidado en sistema articulado y con cierta estabilidad, es por la falsa correlación entre reglas estructurales que postulan, las cuales si no niegan la tonalidad, pretenden ignorarla y la utilización de unos instrumentos ideados, evolucionados históricamente, construidos y atemperados en función de la tonalidad. Dispuestos a crear sistemas, ¿por qué pararse ante la invención de un instrumento de un *medium* apropiado? El piano, violín, flauta, etc. serán siempre unas deficientes muletas en el incierto caminar de este intento, no consumado, de crear una nueva arquitectura sonora.

CAPITULO VI

«Atlántida», de Manuel de Falla, última obra de la música española

Con una fecha, referida al momento del traspaso de Manuel de Falla, han comenzado estas dilatadas consideraciones en torno al fenómeno musical español de hoy. Con otra fecha —24 de noviembre de 1961, poco más de quince años día por día, han transcurrido— asismo referida a dicho compositor con motivo del estreno en el Liceo de Barcelona de su obra póstuma, "Atlántida", desciende el telón sobre esta breve etapa histórica de la que se ha intentado fotografiar la imagen de lo que ha sido —de lo que es— la música española en el ámbito de la creación.

Como por arte de birlibirloque, en este examen de *la música española después de Manuel de Falla* es el gran compositor gaditano, el inesperado invitado que, con una obra de gran estilo, viene a poner punto conclusivo a este estudio y a centrar en su figura (a más de tres lustros de distancia de su muerte), la máxima atención del mundo musical. Después de Manuel de Falla, ha sido "precisamente" el estreno de "Atlántida" el más trascendente acontecimiento de nuestro microcosmos sonoro.

Poco importa, según veremos seguidamente, que la versión de concierto presentada de "Atlántida", nos ofreza una visión parcial de la partitura y que, ésta misma, en sus rasgos generales no responda plenamente a la espectante interrogación y a las especulaciones formuladas acerca de su hipotético mensaje, pues tales circunstancias, a pesar de su capital importancia, podrán *a posteriori,* al calibrar los valores de la obra, colocarla en el lugar que le corresponda en un teórico escalafón de calidades, pero no alcanzarán a desvirtuar el imponderable clima de tensión que precedió a su estreno.

"Atlántida" se nos antoja una obra herida, dañada por el tiempo y sostenida por una ortopedia admirablemente ajustada a su primera estructura por Ernesto Halffter, quien, además, le ha añadido otros miembros que hacen irreconocible su inicial fisonomía. Es por ello, que sin olvidar que a la obra perdurable no le afectan el paso de los siglos, apuntamos que el turbador mensaje que Falla debió imprimir a su obra se ha evaporado en parte, con el trasiego de partituras, correcciones, aditamentos (su ulterior metamorfosis en cantata escénica) que, unidos al transcurso de los años (más de treinta desde que Falla esbozó los primeros fragmentos) [1] han desembocado en una partitura desligada del calor y cuidado que determinó su composición y desvinculada —ahistórica— del instante ambiental que la vio nacer.

Interesa notar sobremanera que las tesis apuntadas, así como las objeciones que puedan hacerse a

---

[1] Campodonico, "Falla". Editions du Seuil, 1959.

la obra son, partiendo de la base de que se trata de una página de extraordinaria dimensión espiritual y que por su calidad está incluida dentro de la gran tradición y por tanto, partiendo de unas superiores exigencias espirituales y valorativas. También conviene destacar que la elección de E. Halffter, para terminar la obra, no podría recaer en músico más idóneo, pues a la personal relación y amistad que unió a ambos autores debe agregarse la especial circunstancia de que nadie como Halffter conocía la mecánica interna de la orquestación del genial gaditano lo que le hacía particularmente apto para interpretar con un reducido margen de error, la intención del maestro.

"Atlántida", tal como se ha ofrecido y por la imprecisión de datos celosamente mantenida acerca de su realidad sustancial, presenta una serie de lagunas que entorpecen seriamente la tarea de valorar sus cualidades intrínsecas.

Por lo que puede entreverse, "Atlántida", según debió imaginarla su autor, viene a significar, después del concentrado ascetismo del "Concierto", un punto de serena relajación espiritual, que arranca del estado de transición iniciado en los "Homenajes", los cuales en cierto modo son antecedentes del poema que comentamos, ya que cesa en ellos la angustiosa tensión del "Concierto". A dicha hipótesis, de orden espiritual, debe agregarse el deseo que probablemente sintió Falla en la última etapa de su vida, de abordar la gran forma en su más alto sentido y otorgar cohesión a su breve y brillante producción anterior. La consumación de tal deseo ha quedado en parte fallido, debido a que la muerte frustró la terminación de la obra y de los retales que de la misma conocemos, deducimos que "Atlántida" no aporta novedades de peso, en relación con los principios sonoros contenidos en su obra anterior.

Falla, en esta partitura como en su obra pretérita, utiliza como elemento evocador de un determinado ambiente espiritual, la peculiar inflexión de la melodía popular, pero mientras en aquellas partituras dicha temática tiene su origen en la canción castellana y andaluza, en la "Atlántida" utiliza de una forma clara y evidente el giro y la cadencia de la canción catalana para adaptarse al texto en catalán de la inmortal obra de Verdaguer. Dicha nota se hace particularmente sensible en las contestaciones del coro en el fragmento titulado "Aria de Pirene" y desde luego en el "Somni d'Isabel", en cuya página el parentesco con el sesgo melódico de la canción catalana es evidente.

Para quienes han seguido la evolución de la obra de Falla desde las "Siete canciones", las "Cuatro piezas" para piano y "Noches en los Jardines de España", hasta llegar a la obra que comentamos, la sustancial novedad de la misma radica en la utilización del coro como elemento fundamental de la exposición sonora. En su trato con dicho factor (de una total corrección) denota cierta timidez, debido a que cuando Manuel de Falla trabajaba en esta composición, habían aparecido en el escenario europeo obras en las que el coro había merecido un trato singularmente audaz. Valga la "Sinfonía de los Salmos" de Strawinsky como ejemplo más representativo. Dentro de la trayectoria falliana, en "Atlántida", la mayor novedad radica en la ponderada utilización de los conjuntos corales (un coro normal y otro de voces infantiles) con los que especula con sus contrastes de timbre.

En el sector propiamente instrumental, el arranque

de la orquesta, por la calidad de su tono, crea un insólito clima de tensión, que se mantiene durante casi todo el transcurso de la primera parte, debido en parte a las intervenciones vocales. El resto de la obra, en el referido plan orquestal, acusa abundantes formulismos de factura que no hallamos en la producción anterior del maestro, lo cual si autoriza a considerar, en suma, que esta obra no significa ni en el plan técnico ni en el espiritual, un ulterior paso estético, en relación con su producción anterior, permite también apostar por la perennidad de su reposada mansedumbre expresiva en contraste con el agitado mundo espiritual en cuya circunstancia se generó.

Dedicada la partitura "A Cádiz, mi ciudad natal, a Barcelona, Sevilla y Granada, por las que tengo también la deuda de una profunda gratitud", intervinieron en su estreno los más representativos elementos de la vida musical catalana: Victoria de los Angeles, Raimundo Torres, la "Capilla Clásica Polifónica", "Coral San Jordi", "Coros Madrigal" y "Escolanía del Sagrado Corazón", que respectivamente dirigen Enrique Ribó, Oriol Martorell, Manuel Cabero y Juan M.ª Aragonés, con la Orquesta Municipal de Barcelona, cohesionados y articulados bajo la general dirección de la única personalidad que podía asumir la responsabilidad artística de trasladar el combinado mensaje de Mossen Cinto Verdaguer y de Manuel de Falla: Eduardo Toldrá.

APENDICE

LA VIDA MUSICAL

En las páginas anteriores se ha examinado con especial atención y amplitud el fenómeno musical español contemporáneo estudiado únicamente desde el ángulo de la creación, por estimar que tal aspecto, al ser fundamental, nos muestra inmediatamente el índice de la inquietud artística del país y por considerar que el manantial de toda experiencia artística está en "lo que dice" y no en "como lo dice" o sea, en la interpretación.

Ahora bien, si una expresión espiritual necesita esencialmente, vitalmente, apoyarse en los puntales de un arte complementario hasta el extremo de que sin él está imposibilitado de manifestarse y subsistir (excepción hecha de la música electrónica, en la que la creación e interpretación se funden en un solo acto), esta es la expresión musical.

En consecuencia, aunque con menor detalle, veremos seguidamente la importancia que tiene en el país el arte de la interpretación (el cual, por otro lado, sin el de la creación carece de su razón de existir) a la vez que intentaremos definir en sus más generales líneas los elementos en que se desenvuelven las características esenciales de la "vida o ambiente" musical que en última instancia y usando un término biológico viene a ser el cultivo o plasma de que nutren las cabezas visibles y rectoras de nuestro universo musical. Entre dichos elementos figuran los conciertos, la ópera, los libros y publicaciones musicales, las conferencias y los festivales principalmente, es decir, aquel conjunto de factores cuya suma determina el carácter y la altura de la vida sonora de un país.

La ópera.

En la mayoría de los libros publicados en España en los últimos treinta años que tratan de los acontecimientos musicales desde un prisma actual, al llegar al capítulo de la ópera pasan a contemplar solamente las múltiples cuestiones que la insolubilidad de los problemas que el Teatro Real tiene planteados y descuidan, o no paran mientes en que aparte de que en Barcelona tiene "*existencia*" *un teatro de ópera institucionalizado y en pleno uso,* según palabras de D. Ridruejo, en Oviedo, Bilbao y Sevilla, principalmente entre otras ciudades, no les falta en cada curso musical su temporada lírica.

Adolfo Salazar en 1935 [1] ya clamaba por el prolongado silencio del Real (en aquel entonces diez años) por la pasivididad de los organismos a los que está confiado la material sustentación del edificio y denunciaba que el mal funcionamiento que aquejaba al Real era un cáncer administrativo más grave que la compleja cuestión de cimientos repetidamente invocada.

---

[1] Adolfo Salazar, "La música actual de Europa y sus problemas". M. Yagües, Editor, Madrid, 1935.

Por su lado el Padre Sopeña, en su "Historia de la música contemporánea española" [1], dedica literalmente varios capítulos a tratar de la ausencia del Real en la vida española y en lugar de detallar los eventos importantes de su historial señala las óperas que no han pasado por su escenario ("Pelleas et Melisande", por ejemplo). Es curioso observar que en una "Historia" como la mencionada, después de reiterar abundantes conceptos expuestos por Salazar, destina media página para despachar la positiva presencia y acción del Liceo barcelonés. No acertamos a comprender cómo se puede tratar de la cuestión del arte lírico en España y olvidar y prescindir del único núcleo en que ha tenido asiento permanente. Avanzamos que no entra en nuestro propósito detallar las fases y peripecias artísticas que ha experimentado el largo historial de la centenaria institución, sino únicamente dar noticia de la actividad llevada a cabo en dicho centro en el período a que se contrae la presente exposición.

El Liceo, además de la función esencial que se ha asignado de difundir las principales óperas y obras que caen dentro de la amplia denominación del género lírico, ha sido la antesala de nuestras figuras de rango internacional desde Mercedes Capsin, Victoria de los Angeles, H. Lázaro, Alfredo Krauss, Manuel Ausensi, Raimundo Torres, Montserrat Caballé y otros, y desde luego el teatro en que han desfilado las más sobresalientes personalidades de la escena lírica contemporánea. Citamos, sin pretensión de agotar la lista, los nombres de los artistas que en los últimos quince años han actuado en

---

[1] Biblioteca del pensamiento actual, n.º 89, en Madrid, 1958. Ed. Rialp.

él: Joan Sutherland, María Callas, Renata Tebaldi, W. Windgassen, Mario del Mónaco, Giusseppe di Stéfano, María Caniglia, Eve Stignani, Boris Christoff, Miroslav Changalovic, etc. Si importante es, según puede colegirse el cometido realizado por el expresado centro calibrado desde el punto de vista de los intérpretes, no le va a la zaga en mérito, el volumen de actividades llevadas a término que traducido en números nos dice que en el período comprendido entre 1945 hasta el momento de redactarse estas notas, las distintas obras representadas en el Liceo alcanzan una cifra superior a ciento cincuenta, entre las cuales figuran más de cincuenta primeras audiciones y los estrenos o reposiciones de las óperas españolas "El gato con botas" de Montsalvatge, "El mozo que casó con una mujer brava" de Suriñach, "Amunt!" de Altisent, "La cabeza del dragón" de R. Lamote de Grignon, "El giravol de Maig" de Toldrá, "Lola la piconera" de Conrado del Campo, "Soledad" de Manén, "Canigó" del P. Massana, y "La Lola se va a los puertos" de Angel Barrios.

Notemos que además de las obras del repertorio operístico internacional, en cuya relación se barajan repetidamente los nombres de Mozart, Purcell, Gluck, Donizetti, Bellini, Verdi, Wagner, Puccini, Gounod, Bizet, Massenet, Strauss, Debussy, etc., se han presentado las primeras audiciones de "El cónsul", "Amelia al ballo", "La Santa de Blecker Street", "La Medium" y "Amalh y los visitantes nocturnos" de Menotti, "Juana de Arco en la hoguera" de Honegger, "Diálogos de Carmelitas" de Poulenc, "Partita a pugni" de Tosatti, "Asesinato en la Catedral" y "Debora y Jael" de Pizzetti, "Le Rossignol" de Strawinsky, "La vedova scaltra" de Wolf-Ferrari, "La fiamma" de Respighi, "Electra" y "La mujer sin sombra" de Strauss, "Resurrección" y "Cirano de Bergerac" de Alfano, "Il cavalieri de Ekebú" de Zandonai, "Porgy and Bess" de Gershwin, y "El castillo de Barba Azul" de B. Bartok.

Pero además de las regulares temporadas de ópera, con un número anual de sesiones que oscila entre las cincuenta y las sesenta representaciones, en el Liceo se dan cita puntualmente al llegar la primavera las principales formaciones coreográficas de nuestro momento para estructurar las temporadas destinadas a tal especialidad: El "New-York City ballet", Jerome Robbins, Compañía del Marqués de Cuevas, Sadler's Wells Ballet, Ballet de la Opera de París, Ballets rusos de Montecarlo, etc.

Todo cuanto antecede referido a dicho coliseo nos muestra y demuestra que si se pretende obtener un índice, si no exacto, aproximado al menos, de la vida de la nación en la zona lírica, no se pueden negligir tales actividades, antes bien, deben quedar consignadas en plano preferente de no querer reducir a cero la contribución española en el mundo operístico. Notemos que el Liceo de Barcelona es el único escenario español que da fe de la presencia del país en la Bolsa mundial de la ópera. Descuidar tal extremo, pretender ignorar la importancia del hecho o tratarlo a la ligera —o no tratarlo— implica o un imperdonable desconocimiento del fenómeno, cuya notoriedad por incuestionable no requiere especiales investigaciones o un deliberado propósito de centrar en la capital de la Nación la totalidad de las actividades musicales en el ámbito lírico. Descartada la solitaria presencia del Liceo como único núcleo enraizado en la gran tradición operística europea, preciso es señalar que en Madrid el cierre del "Real" ha tenido como sucedáneo unas esporádicas y afásicas temporadas de ópera en las que se reponen con algún excepcional destello renovador las óperas del repertorio clásico.

Es difícil diagnosticar con precisión qué mal entorpece fundamentalmente el eficaz restablecimiento de "el Real". Desde luego no todo el problema de este teatro radica en el resquebrajamiento de sus cimientos y estructura, argumento que a menudo se ha invocado, sino en la múltiple proyección de cuestiones actualmente veladas que su definitivo adecentamiento acarrearía. Anotemos que la puesta en marcha del teatro significa la creación de una entidad orquestal, dedicada a su servicio ; la formación y adiestramiento de un grupo coral que una a sus conocimientos musicales otros similares de movimiento sobre tablas ; creación de un cuerpo de baile y naturalmente de un equipo técnico de tramoya, y todo ello puesto bajo la dirección de un ente administrador que englobe las pequeñas secciones que todo gran teatro conforta.

Admitamos resuelta la financiación que en el plano económico ha de salvar o solucionar los problemas aludidos e imaginemos el teatro a punto de marcha.

¿ Qué régimen interno ordenará un funcionamiento? ¿ Empresa privada? ¿ Nacionalización? ¿ Asumición de la alta dirección por el Estado con facultad de ceder con arrendamiento?

Las entradas de "mogollón" y de compromiso pueden constituir una grave rémora para quien intente llevar adelante la empresa, porque cercenan una considerable parte del aforo total.

Ante la magnitud de los problemas denunciados interesa sobremanera destacar que de su solución positiva depende también en gran parte la de muchos centros españoles que en la actualidad no pueden soñar con presentar y contemplar de forma estable figuras o compañías de excepción. Una acción combinada "Liceo-Real", extensiva al San Carlos de Lisboa, podría provocar la mutación del actual "Barcelona-término" por un itinerario Ibérico en el que si bien el Liceo perdería su actual hegemonía artística, compartiría en cambio con otras empresas el riesgo que comporta la solitaria contratación de las figuras estelares y grandes compañías del arte lírico. La Península dejaría de ser un punto (operísticamente hablando) para convertirse en un objetivo múltiple, cuyos núcleos esenciales serían Barcelona, Madrid y Lisboa, lo que implicaría un sensible reparto de gastos.

Los conciertos.—Las orquestas.—Los intérpretes.

Dejando en suspenso las cuestiones planteadas consideremos ahora lo que constituye la célula fundamental de la vida musical: el concierto.

En este aspecto, el acontecimiento capital que ha tenido lugar en el país en los últimos años ha sido el proceso que, al culminar en la nacionalización o municipalización de los conjuntos instrumentales que actuaban en los principales núcleos musicales de la península (Madrid, Barcelona, Bilbao, Valencia), ha otorgado —como ha hecho notar Fernández-Cid al hablar de la "Orquesta Nacional" [1]— coherencia, sentido y uniformidad a las temporadas que a partir de su fundación, 1940, ha desarrollado en Madrid.

---

[1] "La Orquesta Nacional de España". Ed. Ministerio de Educación Nacional. Madrid.

Por otra parte, la creación de la Orquesta Municipal de Barcelona (1944) ha vertebrado en torno a las series de conciertos de dicha entidad la vida musical de la Ciudad de los Condes. Lo mismo cabe decir con lo acaecido en Valencia y Bilbao y otros centros de actividad de la Nación.

Justo es traer a colación al tratar de la cristalización de viejas orquestas en organismos vinculados a la máquina administrativa el nombre de los artífices que entre bastidores han impulsado y en último término forjado la material concreción y estabilización de tales entidades. Antonio de las Heras, desde su privilegiada posición de Comisario de música, ha sido el material *factor* que en Madrid unió la ingente multitud de cabos sueltos que condujeron a la creación de la Orquesta Nacional. En Barcelona, para citar sólo los puntos de mayor actividad en el ámbito contemplado a iniciativa del Teniente de Alcalde del Ayuntamiento de Barcelona, Tomás Carreras Artau se condensaron las dispersas fuerzas de los excelentes instrumentistas que formaban las orquestas barcelonesas. A partir de la fecha de su fundación (1944) la Orquesta Municipal ha centrado un importantísimo porcentaje de la vida musical de Barcelona. Notemos que en Valencia y Bilbao y otras ciudades el fenómeno de la municipalización de conjuntos orquestales se ha traducido en la formación de unos ambientes musicales regulares y estables.

Conviene considerar, aunque no sea más que de paso, que una de las consecuencias más interesantes derivadas del fenómeno del encuadramiento de dichas orquestas en nóminas oficiales ha sido en primer término la obtención de unas entidades a las que la disciplina impuesta por el trabajo cotidiano en conjunto otorga homogeneidad a sus distintas secciones, con la consecuente ampliación del repertorio, que se perfecciona de día en día. Además, y ello no es de inferior importancia, la estabilización de dichas orquestas ha preparado el camino para la formación de directores de orquesta de rango ultranacional, y al hacer tal afirmación que nadie nos tache de querer desmerecer la importancia de la tarea realizada en anteriores etapas de nuestra evolución musical por directores como Fernández Arbós, J. Lamote de Grignon, etc. Sólo queremos significar que el acontecimiento comentado al dotar la forma permanente de un instrumento (la orquesta), permite un trabajo regular y no sujeto a la inmediata perspectiva de un concierto. La seguridad y la regularidad en la cotidiana labor y la inalterabilidad de plantilla esencial han podido conducir a la creación de las gloriosas figuras de Ataúlfo Argenta, que sucedió al frente de la Orquesta Nacional al no menos laureado Maestro Bartolomé Perez-Casas ; de Eduardo Toldrá, que si es quien realmente ha formado la Orquesta Municipal de Barcelona, ésta a su vez ha facilitado el camino para desvelar sus grandes dotes de director ; de Rafael Frühbeck, titular de la Orquesta Sinfónica de Bilbao, que funciona bajo la tutela del Patronato Juan Crisostomo Arriaga. Idéntico comentario sugiere la creación de la Orquesta Municipal de Valencia, en la que después de la etapa de J. Lamote de Grignon asumió el compromiso directivo Hans von Benda y, más tarde, José Iturbi.

El impulso que dichas agrupaciones instrumentales han conferido a la vida musical española es sensible y si ellas han sido en gran parte el eje de la actividad sinfónica de sus respectivas sedes, no puede por ello desmerecerse la tarea realizada por otros importantes conjuntos orquestales que desarrollan interesantes programas en distintas capitales del Reino. Citamos entre las más notables, en Madrid, la Orquesta Sinfónica, la Orquesta Filarmónica, la Orquesta Clásica, la Orquesta de Cámara, la Agrupación de solistas españoles y la Orquesta de arcos de Madrid.

En Barcelona, además de la Orquesta Municipal, otorgan color y variedad a su actividad concertística, la Orquesta Filarmónica de la que es actual titular Jaime Bodmer, la Orquesta Sinfónica, la del Gran Teatro del Liceo, la Orquesta Ibérica de Conciertos (que en sus días realizó una brillante campaña) además de la Orquesta de Cámara "Solistas de Barcelona", que habitualmente dirige Domingo Ponsa.

La gran figura de Ataúlfo Argenta (1913-1958) prematuramente desaparecida para duelo de la música española es la personalidad más destacada en la especialidad de la dirección orquestal. A. Fernández-Cid ha trazado de tan ilustre director una precisa semblanza. Señalemos ahora, desde este breve capítulo, que sus versiones a la vez que fueron modelo de claridad y precisión interpretativa vinieron distinguidas por una sobriedad en la expresión, reflejo de un temperamento que aquilataba en su justo calibre los valores musicales aprisionados en la obra presentada.

Análogos valores presentan los criterios que orientan las actividades de director de Eduardo Toldrá [1], avalados por una consciente veteranía en el quehacer musical y un brillante historial cuyo más reciente

[1] El Maetro Toldrá, ha fallecido mientras se imprímia este libro (N. del E.).

triunfo se centra en el montaje y dirección de "Atlántida" con motivo del estreno mundial, en su versión de concierto, en el Gran Teatro del Liceo de Barcelona el día 24 de noviembre de 1961.

Con los nombrados, el equipo de directores españoles que alternativamente comparecen para dar fe de la vitalidad de esta rama de la actividad musical esencialmente formado por las personalidades de Odón Alonso, Rafael Frühbeck, Enrique Jordá, P. Casals, Vicente Spiteri, Ricardo Lamote de Grignon († 1962), Rafael Ferrer, Domingo Ponsa, Jesús Arámbarri († 1960), Jaime Bodmer, José M.ª Franco, Pich y Santasusana, Benito Lauret, Alberto Blancafort, Luis M.ª Millet, José Iturbi, César de Mendoza Lasalle, Cristóbal Halffter y Ernesto Halffter, Pablo Sorozábal, E. Xancó, José Sabater, Enrique Ribó y Ros-Marvá.

Solistas instrumentistas.

Al penetrar en el frondoso epígrafe relativo a los múltiples planos en que se proyecta la actividad del solista instrumentista, el autor de estas páginas debe confesar que la gran abundancia de personalidades determinará forzosamente múltiples *lapsus* en su escueta enumeración que no pretende ser exhaustiva, sino simplemente ilustradora de la pléyade de intérpretes que hoy día integran esta parcela de la actividad musical.

Aunque la clasificación por grupos de instrumentos facilitan la labor expositiva de esta sección, la alta jerarquía internacional alcanzada por un importante grupo de solistas invita a destacar sus nombres con independencia del medio expresivo o instrumental que particularmente utilizan.

Unas figuras se destacan con categoría de excepción en el actual universo sonoro: Pau Casals en término preferente, quien no sólo ejerce una total hegemonía en el ámbito violoncelístico, sino que además centra en su inmesurable personalidad interpretativa la atención de todo el orbe musical al considerarlo como el mejor instrumentista contemporáneo. Andrés Segovia, seguido de cerca por Narciso Yepes, domina totalmente la zona de la interpretación guitarrística, mientras que Victoria de los Angeles se ha colocado en situación de excepción entre los mejores cantantes de nuestro momento.

Por su lado, el nombre Nicanor Zabaleta campea como intérprete único en los dominios arpísticos, mientras José Iturbi con el piano ha sido un solista de singular cotización internacional.

En el detalle concreto de la zona interpretativa, y bajo el epígrafe de *pianistas,* muerto Ricardo Viñas en 1943 merecen destacarse los nombres de Luis Galve, Gonzalo Soriano, Alicia de Larrocha, Rosa Sabater, Manuel Carra, Joaquín Achucarro, Paquita Madriguera, Julio Pons, Javier Alfonso, Antonio Ruiz-Pipó, Rosa M.ª Kucharsky, Pedro Vallribera, María R. Canals, José Cubiles, Leopoldo Querol, Alberto Giménez, María Canela, Pilar Bayona, José Falgarona, Antonio Iglesias, Carmen Díez Martín y José Tordesillas.

Además de Pau Casals en la zona del "violoncelo" conviene otorgar el pertinente relieve a la figura de Gaspar Cassadó, personalidad de positivo rango internacional que nos representa periódicamente en los principales festivales de música, José Trotta, Marçal Cervera, Juan Ruiz Casaux, Ricardo Boadella y Ernesto Xancó.

En el capítulo de cantantes, Teresa Berganza,

Consuelo Rubio, Alfredo Krauss, Raimundo Torres, Hipólito Lázaro, Manuel Ausensi, Isabel Penagos, Conchita Badía, Lola Rodríguez de Aragón, Enriqueta Tarrés, Lina Richarte, Pilar Lorengar, Inés Rivadeneyra, María Rosa Barbany, Anna Ricci, Toñy Rosado, Marimí del Pozo, Angeles Chamorro, Montserrat Caballé, Montserrat Aparici, Francisca Callao y Carmen Pérez Durías, entre otros.

Al comenzar las presentes consideraciones hemos hablado de los guitarristas Andrés Segovia y Narciso Yepes. Debemos sumar ahora los nombres de Emilio Pujol, Regino Sainz de la Maza y Renata Tarragó.

Antonio Brosa, que reside habitualmente en Londres, Francisco Costa, Juan Manén, Massiá y Manuel Quiroga son los violinistas que en unión de Enrique Iniesta, Xavier Turull, Montserrat Cervera, Josefina Salvador, Santiago Cervera, Juan Palau, Víctor Martín, Luis Antón, Agustín León-Ara, Rafael Alós, Enrique Caslas, Eduardo Bocquet, José Sánchez, Josefina Salvador y Eduardo H. Asiain, han dado el estilo del país en este sector de la expresión musical.

Entidades corales.

Dos son fundamentalmente en la Península las agrupaciones corales que otorgan constante prestigio a la música en esta rama de su expresión. Centrada una de ellas en Cataluña y la otra en las Vascongadas y apoyadas ambas por una brillante y firme tradición, que se desdobla en el gran número de entidades y conjuntos vocales que confieren constante y renovado vigor a sus manifestaciones, tanto el "Orfeó Català" de Barcelona como el "Orfeón

Donostiarra" (pues de ellos se trata) representan la más alta cima del sentir musical colectivo de estos dos grandes pueblos.

Fundado el primero por Amadeo Vives y Luis Millet en 1891, y dirigido en la actualidad por Luis M.ª Millet, cuenta con un glorioso historial en el que la fibra más pura de la expresión popular se hermana con la realización de las más altas muestras de la música para coros. En la etapa que contemplamos, el Orfeó Català, dirigido por Luis M.ª Millet (eficientemente secundado por los maestros Juan Tomás y J. J. Llongueras) ha dado entre otras, unas impresionantes versiones del "Requiem" de Mozart, "Stabat Mater" de Poulenc, "Requiem" de Fauré, "Pasión según S. Mateo" de Bach, "Misa solemnis" de Beethoven, "Cant Espiritual" de Montsalvatge, etc.

El alto prestigio del Orfeón Donostiarra que hoy dirige el maestro Juan Gorostidi está cimentado en una no menos gloriosa carrera jalonada por tantos triunfos como audiciones. Notemos que en el repertorio de sus más recientes salidas figuran páginas como "El Mesías" de Haendel, "Misa de la Coronación" de Mozart, la "IX Sinfonía" de Beethoven, "Sinfonía de los Salmos" de Strawinsky, y "Dafnis y Cloe" de Ravel, entre muchas otras.

Al lado de estas dos *esenciales agrupaciones,* coadyuvan al fomento del ambiente musical catalán y vasco en el ámbito coral entidades de tanto prestigio como el "Orfeó de Sans", "Orfeó Gracienc", que respectivamente dirigen los maestros Elizardo Sala y Pérez Simó, la "Capilla Clásica Polifónica" del F. A. D., que prepara y dirige Enrique Ribó, la "Coral St. Jordi", coros "Madrigal" y "Al-leluia", al frente de los cuales figuran elementos de tan acreditada musicalidad como Oriol Martorell, Manuel Cabero y Enrique Gispert. No es preciso destacar en este apartado la importante labor formativa y de estudio que llevan a cabo en el sector coral los monjes de Montserrat al mantener al día la famosísima "Escolanía", donde se educaron musicalmente entre otros Cererols, Antonio Soler, Fernando Sor y Miguel Querol. En nuestros días dirige tan perfecta institución el P. don Ireneo Segarra.

La vivísima tradición coral del país vasco está representada —además del "Orfeón Donostiarra" de San Sebastián— por tan importantes conjuntos como "Coro Easo", "Maitea", "Sociedad Coral de Bilbao", etcétera.

En otros puntos de la Península, la actividad de las entidades corales se centra principalmente en las desplegadas por el grupo de "Voces blancas de Madrid", los "Coros de Radio Nacional" que dirige Alberto Blancafort y los "Cantores de Madrid".

En Galicia, la "Coral de Pontevedra" es la entidad que mejor resume la expresión celta en su manifestación coral.

Musicología y crítica.

De las dos grandes ramas en que se puede dividir la ciencia musicológica, la que hurga e investiga en los archivos para dotar de sentido al pasado y la que ensaya encararse con la actualidad inmediata y circundante, sólo la primera cuenta hoy con valores que han ensanchado y proyectado hacia nuevos horizontes la gran lección de Felipe Pefrell, pues las publicaciones aparecidas referidas a la segunda actitud no han aportado nuevas ni sustanciales apreciaciones a las que Adolfo Salazar incorporó a la vida nacional.

Por el lado de la investigación, tenemos la inconmensurable figura del P. Higinio Anglés, creador del Instituto Español de Musicología y actual director del Instituto Pontificio de Música Sacra de Roma, continuador en tan elevado ministerio de la función asignada a otro catalán, el monje benedictino dom Gregorio María Sunyol (1879-1946).

Otro de los investigadores de mayor relieve de la actual constelación es Miguel Querol, que lleva publicados trascendentales trabajo que colman importantes lagunas de historia musical.

En el propio sector catalán y en el área de la musicología son importantes las personalidades de Mosen F. Baldelló, José Romeu, Aurelio Campmany, el P. Altisent, José Subirá y Juan Amades.

Se ha hablado en otro lugar de la gran figura del P. Donostia en su doble función de musicólogo y de folklorista, a su nombre añadimos ahora el del P. Nemesio Otaño, que falleció, como el anterior, en 1956, y el de Azkue, fallecido en 1951.

Pero Echevarría, Samuel Rubio, José Forns, Manuel García Matos, muy enterado y gran conocedor de las variedades folklóricas españolas, el ovetense Eduardo Martínez Torner, Tomás Andrade de Silva, quien además de gran conocedor de los variados estilos del flamenco es un gran teórico de la técnica trascendente del piano, en cuyo mismo plano encontramos a Javier Alfonso, que completan con Oriol Llimona y Daniel Blanxart el cuadro de la variedad musicológica.

En la zona del ensayo y estudio de los problemas y cuestiones que plantea el nuestro universo musical continuamos viviendo de las fecundas enseñanzas de la siempre inteligente visión juzgadora de A. Salazar.

El P. Sopeña ha publicado diversos libros sobre compositores actuales (Turina, Rodrigo) y sobre temas musicales de carácter general, Antonio Fernández-Cid, constantemente en la brecha de la crítica, ha editado unos interesantes estudios sobre la "Orquesta Nacional de España" y las figuras de Ataúlfo Argenta y Enrique Granados. A Juan E. Cirlot debemos el estudio más importante realizado en España sobre la personalidad de Strawinsky mientras que Antonio de las Heras ha escrito una "Vida de Albéniz".

El P. Juan M.ª Thomas, el gran poeta Gerardo Diego, Jaime Pahissa y Luis Campodonico han realizado con sus escritos la más importante contribución al estudio y conocimiento de la persona y la vida y obra de Manuel de Falla, a la que a última hora se ha sumado A. Fernández-Cid con un estudio sobre el maestro gaditano.

Por su parte, Víctor Espinós, Enrique Franco, Antonio Nicolás, Eduardo López Chávarri, F. J. de Larra, Paco Aguilar, Eduardo L. Chávarri-Andújar, Arturo Zabala, Bernabé Herrero, Juan José Roig, Jesús Bal Gay, Sabino Ruiz, Andrés Isasi, Antonio Odriozola, Manuel Rodríguez Llauder, José Palau, Manuel del Campo, Menéndez Aleixandre, José M.ª Claver, Ricardo Ansaldo, Roberto Pla, Leovigildo Caballero, y otros, junto con los anteriores, ya como autores de publicaciones ya como puntuales cronistas del cotidiano acontecer musical, completan el panorama de esta actividad.

BIBLIOGRAFIA

PRINCIPALES OBRAS CONSULTADAS

Baldelló, Francisco de P. *La música en Barcelona* (Noticias históricas). Librería Dalmau, Barcelona, 1943.

Bartomeu, José. Catálogos y notas de los conciertos dados en el "Jardí dels Tarongers", Barcelona (1948-1958).

Campodonico, Luis. *Falla*. Solfeges. Editions du Seuil, 1959.

Caralt Dom Ambrós. *L'escolanía de Montserrat*. Abadía de Montserrat, 1955.

Chase, Gilbert. *La música de España*. Librería Hachette, S. A., Buenos Aires, 1943.

Diego, Gerardo. Rodrigo, Joaquín, Sopena, Federico. *Diez Años de música en España*. Espasa-Calpe, S. A., Madrid, 1949.

Fernández-Cid, Antonio. *Jesús Leoz*. "O crece o muere", 1953, Madrid.

Fernández-Cid, Antonio. *La Orquesta Nacional de España*. Ministerio de Educación Nacional, Madrid.

Goléa, Antoine. *Estética de la música contemporánea*. Eudeba, 1961, Argentina.

Millet, Luis. *Pel nostre ideal*. Imp. Horta, Barcelona, 1917.

Mingote, Angel. *Manuel Palau*, Valencia, 1946.

Miró Bachs, A. *Cien músicos célebres españoles*. Ed. Ave, Barcelona, 1955.

Lamaña, Luis. *Barcelona filarmónica*. Imp. Elzeviriana y Lib. Camí, S. A., Barcelona, 1928.

Pahissa, Jaime. *Sendas y cumbres de la música española.* Hachette, Buenos Aires, 1955.

Ricart Matas, José. *Diccionario biográfico de la música.* Ed. Iberia, Barcelona, 1956.

Salazar, Adolfo. *La música contemporánea en España.* Ed. La Nave, Madrid, 1930.

Salazar, Adolfo. *Música y músicos de hoy.* Editorial Mundo Latino, Madrid.

Salazar, Adolfo. *La música orquestal en el siglo XX.* Breviarios del Fondo de Cultura Económica. México D. F., 1956.

Salazar, Adolfo. *La música actual en Europa y sus problemas.* José M.ª Yagües, editor, Madrid, 1935.

Sopeña, Federico. *Historia de la música española contemporánea.* Ediciones Rialp, S. A., Madrid, 1958.

Sopeña, Federico. *Apéndice sobre música española,* en "Enciclopedia de la música", de Casper Howëler. Ed. Noguer, S. A., Barcelona-México, 1958.

Subirá, José. *La ópera en los teatros de Barcelona.* Ed. Librería Millá, Barcelona, 1946.

Valls, Manuel. *La música catalana contemporània.* Biblioteca Selecta, Barcelona, 1960.

Diversas revistas, publicaciones, programas de conciertos, etc.